学校って何だろう

教育の社会学入門

苅谷剛彦

筑摩書房

学校って何だろう——教育の社会学入門＊目次

第3章　校則はなぜあるの？

第4章 教科書って何だろう

第5章 隠れたカリキュラム

第6章 先生の世界

第7章 生徒の世界

学校って何だろう——教育の社会学入門

はじめに

学校についての疑問を感じたことはありませんか。たとえば、「どうして、こんなことまで勉強するのだろうか」とか、「学校の規則はなぜこんな細かいことまで禁止するのだろう」とか、「毎日毎日決まったように学校に行くのは、なぜなんだろう」とか。

あるいは、悩みや不満というほど強い気持ちではないけれど、学校での生活に何か「ひっかかる」ことはありませんか。クラスメートや担任の先生との関係がうまくいかなかったり、クラブでの人間関係がなんとなくぎくしゃくしていたり、友だちがいじめられているのを見ても「やめろ」といえない自分に自信がもてなかったり、成績が思うように上がらず焦《あせ》ったり、生徒会やクラスの委員をやっていてもみんながついてきてくれなくてがっかりしたり……、学校での生活に対する「ひっかかり」は、いろいろなところにあらわれます。

この本を読めば、こういう学校での悩みや不満や「ひっかかり」がすべて解決する……と、ずばりいいたいところですが、実は、この本のどこを探しても、悩みや不満を解決する万能薬のような「正解」は書いてありません。学校でのいろいろな問題を解決できるアドバイスも書いてありません。

だからといって、「なあんだ、それじゃあ、こんな本を読んでもしかたがない」とすぐに決めてかからないでください。というのも、「正解」を書いていないことが、この本のセールス・ポイントだからです。

学校でのテストに慣れたあなたは、いつもどこかに正しい答えが書いてあるはずだと思うかもしれません。ところが、私たちが本当に解決しなければならない問題のほとんどは、中学校の数学のテストとは違って、いつでもどこかにたった一つの正しい答えがあるというわけではないのです。それどころか、「だれかがすでにどこかに正解を書いている。だからそれを探せばいいんだ」というのでは、自分の問題を自分で解決したことにはならないでしょう。自分の頭で考えてこそ、自分なりの答えにたどり着ける——それが、この本の出発点になります。

「正解」探しのかわりに、どんなふうに学校について考えていけばいいのか、どのように問題を立てればいいのか、そういう疑問や発想のしかたを大切にすること、そこから自分なりに学校について考えを深めていくことで、あなたなりの答えにたどり着けるはずです。

そこで、この本では、学校についてどんな疑問をぶつけてみたらいいのか、その疑問をどのようにふくらませていくと、いろいろな角度から学校について考えることができるのかを、できるだけわかりやすい例を使いながら書いてみました。ふだんなにげないように見えて、特別疑問を感じたりしない学校でのできごとでも、いつもと違った見方をすると、それがどんなふうに見えるのか。迷路みたいに出口のすぐに見つからないまわり道のように見えても、学校についてのこういう疑問をたくさん用意することで、自分なりに納得のいく答えにたどり着ける。そういう方法をあなたといっしょに探してみようというのが、この本のねらいなのです。

この本のところどころで、「いっしょに考えてみよう」とか、「あなたならどう考えますか」という表現が出てきます。こういう表現に出会ったら、すぐに先を読もうとしないで、ほんの少しの時間でも、この本をおいて自分で考えたり、想像してみたりしてください。そういう本の読み方をすることで、あなたなりの答えにたどり着けるはずです。

中学生以外にも、この本を手にとってくれた読者がいることでしょう。中学生の子どもをもつ親、中学校の先生、それに教育について関心をもっている大学生や社会人など、こういう読者にとっても、この本は、中学校をめぐるいろいろな問題をすぐに解決できる方法が書かれているわけではありません。そうではなくて、「教育とはこうあるべきだ」とか、「学校はこうあるべきだ」とか「教師はこうしなければいけない」といった、よくいわれる教育や学校についての「べき」論では、どんな問題が隠されてしまうのか。そういう「べき」論があたりまえの前提としていることを別の角度から見直してみる。そうすることで、学校について、決まりきったものの見方にとらわれずに、もっとオープンな議論ができることをめざしたつもりです。一見、回りくどく見えても、こうやって一度学校についての常識を疑ってかかることから、新しい議論が始まると考えたからです。ですから、大人の読者の方も、中学生と同じように、この本が提供する疑問に自分の頭でつきあってみてください。

さあ、それでは、学校迷路の探検に出発しましょう。

第1章

どうして勉強するの?

素朴な疑問からのスタート

数学の一次方程式の解き方や英語の関係代名詞の用法、歴史ではいろいろな出来事の年号を覚え、理科では植物や鉱物の名前を暗記する。「どうしてこんなことまで覚えなければいけないんだろう」「大人になっても使いそうもないことを、なぜ勉強しなければいけないんだろう」「自分はあまり勉強が好きでないのに、どうしてだれもが高校まで行ってさらに勉強しなければいけないんだろう」、こういう疑問をもったことはありませんか。

まわりの大人たちを見ていても、昔、学校で勉強したことをどれだけ使っているのか、たしかによくわかりません。お母さんがふだんの生活の中で、一次方程式や三角形の合同条件の知識をどのようにいかしているのか、想像できますか。少しの例外を除けば、お父さんが、英語を仕事で使っているようには見えないかもしれません。a と the の区別や、三人称単数現在の s なんて、まわりの大人がどういうときに使っているのか、ちっとも見えてこないでしょう。歴史で習った、応仁《おうにん》の乱《らん》が何年に起きたのかも、それがどんな事件だったのかも、まわりの大人たちはほとんど忘れてしまっているかもしれません。

学校の規則についてはどうでしょうか。ソックスの色は白でなければだめとか、スポーツバッグは学校指定のもの以外は禁止とか。「どうしてこんなに細かい校則があるのだろう」「色が違うと、どうしていけないんだろう」「だれにも迷惑をかけていないのに、なぜ、こんなことまで校則で禁止されているのだろう」、こういう疑問を感じたことはないでしょうか。まわりの大人たちも、自分の中学生時代に、こういう規則をきちんと守っていたと思いますか。今では立派そうに見える大人たちも、昔は校則違反をよくしていたかもしれません。

「どうして勉強するのだろう」「なぜ、こんな規則があるのか」、こういう疑問は、深刻に悩むような問題ではないかもしれません。あたりまえすぎて、疑問に感じない人もいるでしょう。それに、こういう問題をいくら考えたところで、自分にとって得になるわけでも、何かすぐに解決策が見つかるわけでも、それによってまわりのみんなが助かるわけでもないのかもしれません。そのままにしておけば、それなりにすんでしまうような疑問です。

それでも、こういう「素朴な疑問」は大切です。なぜなら、こういう疑問を掘り下げていくと、ふだんなにげなくやっていることを、いつもと違った角度からながめていくことができるようになるからです。とくに、学校という場所には、○○すべきだとか、○○はしてはいけない、といったたくさんの約束事があります。しかも、そのなかには、校則のように規則として文書に書かれているわけではないものも、たくさんあります。たとえば、チャイムが鳴ったら着席するとか、授業が始まったら教科書とノートを机の上に広げておくとか、試験の時間には静かに一人で問題を解くとか。あたりまえすぎて校則にものらないようないろいろなルールを守ることで、学校での生活は成り立っているのです。

そして、こういう、あたりまえの約束事のもとで、私たちは、知らず知らずのうちに、ある特定の行動のしかた（たとえば、時間を守る）や、ものの考え方（たとえば、試験は自分の勉強の成果をはかるものだ）とか、そういったことを身につけていくのです。ですから、「学校って何だろう」という素朴な疑問からスタートして、学校のいろいろな面をとらえ直してみることで、私たちのまわりで、私たちを取り巻き、私たちの考え方やものの見方、行動のしかたを、知らず知らずのうちに形作っている、学校のからくりや社会のしくみについて考えることができるようになるのです。

この本は、中学生にとって身近な問題をてがかりに、「学校って何だろう」という疑問を、いっしょに考えていくことをねらいとしています。「学校って何だろう」。それを少し立ち止まって、いろいろな角度から考え直してみる。そうすることで、学校というしくみが、どのようにしてできあがっているのかを明らかにしていこうというのです。毎日の生活の場である学校のしくみをあらためて考えてみることで、少しでも、自分自身のことやまわりのことがよく理解できるようになるのではないかと思うからです。

どうして勉強しなければいけないのか

それでは、実際に、どんなふうに「学校って何だろう」を考えていくのか。この最初の章では、具体的な例として、「なぜ勉強するのか」をとりあげてみましょう。「なぜ、こんなことまで勉強するのか」「どうして役に立ちそうもない細かい知識をいちいち覚えなければいけないのか」「どうしてだれもが勉強しなければいけないのか」、あなたも、一度くらいはこういう疑問をもったことがあるでしょう。

どうして勉強するのか。大人たちに聞いたら、どんな答えが返ってくるでしょうか。ちょっと、想像してみましょう。

この本では、こういうときには、実際に、本をおいて、まず自分で想像してみてください。実をいえば、本というのは、そのままどんどん読み進めていくのではなく、こうやってところどころで立ち止まって、自分なりに考える時間をはさみながら読んでいくものです。そういう、本の読み方についても、この本の中で紹介したいと思います。さあ、それでは、本当に、本をおいて、自分なりに考えてみてください。

…………

たぶん、まっさきに出てきそうな答えは、「高校受験があるのだから勉強しなさい」とか、「いい成績をとっておかないと、将来いい大学に入れないから今のうちによく勉強しておいたほうがよい」といった答えではないでしょうか。

このような答えは、いい学校に入るためには、成績がよくなければならない→だから、勉強しなければならないという、受験競争や学歴社会を前提にした説明です。なるほど、いい高校に入学するには、受験までにいい内申《ないしん》点をとっておくことも、本番の試験でいい成績をとることも必要です。そして、入学のむずかしい高校に入れれば、そこからさらに有名大学に行く道も開けてくるかもしれません。そして、それが有名企業への就職へとつながっている、と考えるわけです。

このような説明は、「ともかく現実の社会では、どんな学校に入れるかによって、将来どんな仕事につけるのかが違ってくる。だから、将来の生活のことを考えて勉強しておいたほうがいい」という社会のとらえ方を前提にしています。

もうひとつ、ありそうな答えは、「大人になったときに困らないように、今のうちに勉強しておきなさい」とか、「いつか役に立つこともあるのだから勉強しておいたほうがよい」とか、「高校や、その先の大学で勉強するときに、今勉強していることが役に立つのだから、勉強しておきなさい」とか、将来の仕事や勉強のために今の勉強が必要だというタイプの答えです。

たとえば、大学で経済学を勉強しようと思ったら、数学の一次関数や二次関数についての知識くらいもっていないと、とうてい経済学の教科書も読めません。高校で習うような微分《びぶん》や積分《せきぶん》といった知識も必要です。そして、微分・積分がわかるためには、中学校の数学をある程度理解しておく必要があります。さらに、工学部や理学部で勉強する場合、数学はもちろんのこと、中学校の理科や高校の物理、化学、生物、地学などの勉強が基礎になることは、いうまでもありません。

それでは、この第二の説明には、どんな考えが含まれているのか。ひとつには、今すぐにはわからなくても、学校で勉強することは将来何らかの役に立つだろうという考え方。そして、もうひとつには、中学校で勉強することは高校で勉強することの基礎であり、さらに高校で勉強することは大学の基礎であるといった、勉強する内容にはつながりがあるという考えが含まれています。

それから三つ目に、「勉強すると人間として成長できるからだ」とか、「勉強を通じ、いろいろな知識や考える力をつけることで立派な人になれる」といった答えもありそうです。たとえば、夏目《なつめ》漱石《そうせき》や芥川龍之介《あくたがわりゅうのすけ》の小説をまったく読まなかったら、人生について考えるうえで、何か大切なことに触れないまま大人になってしまうのかもしれません。あるいは、理科の観察や実験で身につくような、ものごとを注意深く見る目や、原因と結果の関係を結びつける考え方なしには、いつも感情に流されっぱなしで、自分のまわりの状況を冷静に判断する能力が養われないかもしれません。

このような説明の場合には、学校での勉強が、たんに仕事をするうえや進学にとって役立つだけではなく、「常識」や「教養」を身につけたり、考える力を養ったりすることで、立派な人間に成長していくことができるという考えが、含まれているのです。

あるいは四番目の答えとして、もっと単純に「学校というところは、勉強するところなのだから、ともかく勉強しなければならない」とか、「生徒は勉強するものだ」といった考えもあるでしょう。このような説明（説明といえるほどのものかどうかは、わかりませんが）の場合、学校に行っている間は、ともかく勉強するのが当然だという見方が含まれているといってよいでしょう。

ほかにも、なぜ勉強しなければならないのかについて、いろいろな説明があるかもしれません。

このようにいろいろな説明のしかたがあるということは、「なぜ勉強するのか」という疑問に対する答えが、一つではないことを示しています。しかも、右に紹介した考え方を含めて、いろいろな説明のうち、どれが一番正しいか。いろいろな考え方の中で、だれにとってもこれが一番という答えがあるわけでもないのです。その人なりの考え方によって、こっちの説明のほうが、自分には納得できるとか、よくわかるということがあるのです。

つまり、こういった疑問には、だれにとっても正解といえる、はっきりした、ひとつの解答があるわけではないということ。いいかえれば、テストとは違って、だれかが採点するときに基準となるような模範解答はないのです。お父さんやお母さんに聞いても、学校の先生たちに聞いても、文部科学省のお役人に聞いても、あるいは教育学者と呼ばれる専門家に聞いても、たぶん、「なぜ勉強するの？」に対する答えは、人によってそれぞれ違うでしょう。中学校の先生方の間でだって、あるいは教育学者の間でだって、ひとりひとり違う答えが返ってくる可能性が高いのです。

こういう問題については、一つの正解があるわけではないということ。それが、「なぜ勉強するのか」とか、「どうしてこんな校則があるのか」といった学校に関する問題の特徴です。そして、こうした特徴について知っておくことが、「学校って何だろう」を考えていくときのスタートラインになるのです。

一つのきまりきった答えがないのと同時に、実は、一部の専門家を除けば、大人たちだって、こういう問題をつきつめて考えることは、それほど多くありません。とくに、きまった答えがなくても、これまで通り、「生徒はみんな勉強すべきだ」とあたりまえのように思っていて、その通りにものごとが運んでいく。学校という場所で行われていることの中には、このように「あたりまえ」のこととして疑われずに、そのまま行われ続けることがたくさんあるのです。

この本では、こういう「あたりまえ」のことがらについて、ちょっと立ち止まって考えてみます。こういう問題は、いろいろな答えが可能なぶん、それだけいろいろな角度から、学校のしくみを考えるのに都合《つごう》がいいのです。

「もっと勉強したい」から「こんなに勉強したくない」へ

とはいえ、「いろいろな答えがあるし、どれが正解とはいえない」というだけでは、「なぜ勉強するのか」という問題について、深く考えたことにはなりません。そこで、つぎに、ちょっとこの問題をひねって（問い方を変えてみて）、「いつごろから、そして、どうして、私たちは『なぜ勉強しなければいけないのか』という疑問をもつようになったのか」という問題を考えてみましょう。少しまわり道になりますが、こういうふうに、問いの立て方を変えてみることで、別の見方ができるようになるからです。

さて、そこでまず、次の文章を読んでみてください。

「英語の選択の授業を受けたいといったけど、先生は受けさせてくれない。選択の英語を受けるのは高校に行く人だけだという。廊下でもいいから聞かせてくれと頼んだが、だめだった。くやしくて、くやしくて、生まれ変わって私も高校に行くようになりたいと思った。生まれ変われなかったら、私の子供にだけはこんな思いはさせたくないと思った」（村松喬『教育の森1　進学のあらし』毎日新聞社、一九六五年、一一六ページ）

これは、今から四〇年以上も前に、熊本県の中学校二年生の女子生徒が書いた作文です。

この作文が書かれた一九六五年には、中学校を卒業した人のうち、高校に進学する人の割合は、七〇％くらいでした。今では、九七％とほとんどの中学生が高校に進学するようになっていますから、ずいぶんと違います。ところが、この作文が書かれた時代には、まだ三割くらいの子どもが、この少女のように、家が貧しいとか、家の仕事の手伝いをしなければならないとかいった家庭の事情で、高校に進学できなかったのです。今のあなたから見れば、こんな時代があったことさえ、想像できないかもしれませんね。そして、こういう、学校に行きたくても行けない人がいた時代には、「なぜ勉強しなければいけないのか」ではなく、「自分は勉強したいのに、どうして勉強することができないのか」という疑問を感じた中学生が少なからずいたのです。

この当時にも、「なぜ勉強するのか」という疑問をもった中学生はいたはずです。でも、そのころだったら、この種の疑問は、一種の「ぜいたくな悩み」と思われたことでしょう。というのも、それとは反対に、勉強をしたくてもできないことのほうが、「大きな悩み」と見なされていたからです。当時の人びとにとって解決すべき大問題は、勉強したくてもできない子どもにもっと勉強できるようにしてあげることだったのです。だからこそ、「だれもが高校に行って、もっと勉強できるように、高校の数を増やそう」とか、「家庭の事情で勉強をあきらめなければならない子どもがいなくなるように、社会全体をもっと豊かにしよう」とか、そう考えて、高校の数を増やしたり、経済の成長を促したりする政策がとられたのです。もっと多くの子どもたちが、もっと長い間学校に行って勉強できるようにしよう。そういう子どもたちの夢をかなえてあげることが、大人の役目だと考えられたのです。

もちろん、高校に行けない中学生がたくさんいた時代でも、だれもが、もっと勉強したいと思っていたわけではないでしょう。「勉強は苦手だから、自分は中学を卒業したら仕事につきたい」と思っていた生徒も少なくなかったはずです。それでも、親や教育関係者の多くが、「みんなが高校くらいは何とか行けるようにしよう」と考えたのです。

前に、「なぜ勉強するのか」という質問に、いろいろな答えがあると書きました。なるほど、人によって、この疑問への解答は違います。ところが、学校の先生も、親も、当時の文部省や県の役人も含めて、教育にかかわる大人たちには、ある一つの共通した考えがありました。それは、具体的な理由の中身はばらばらであれ、ともかく、勉強することや、学校に行くこと、たくさん教育を受けることはいいことだ、という考えです。

この点では、昔も今もそう変わっていません。「いいこと」の中身をどのように考えるのかは別として、学校に行くことや教育を受けることはいいことだと見なす点で、ほとんどの大人たちは同じ考えをもっているのです。

しかも、どの子にも、できるだけ同じような教育を受けさせてあげることがいいことだと考える点でも、ほとんどの大人たちの意見は一致していました。たとえば、それとは反対に、数学や英語の得意な生徒を、不得意な生徒から区別して、クラスも先生も教科書も別にして、もっとむずかしい問題が早くできるように教えることもできます。同じように、不得意な生徒には、時間をかけて、ゆっくりとやさしい問題を与えることもできたはずです。

ところが、このように成績や学力によってクラスの分け方を変えたり、教材を変えたりすることは、よくないことだと考えられていました。不得意なクラスに入れられた生徒たちを差別することになるのではないかと心配する人が多かったのです。

それから、高校での勉強にしても、勉強の得意不得意によって、勉強する教科を変えようという考え方もありました。たとえば、勉強の苦手な生徒には、高校を卒業した後の仕事に直接役立つように、工場ではたらくときに役立つ技術や、店でものを売るときに必要な知識をもっと教えたほうがいいという考え方もあったのです。この考え方をおし進めていけば、工業高校や商業高校などの職業科目を教える高校がもっとたくさんできてもよさそうです。ところが、実際には、どの生徒にも同じように英数国理社といった教科の勉強を教えたほうがいいということで、こうした普通教科を教える普通科の高校が増えていったのです。

この場合も、普通教科を教える高校と職業科目を教える高校とに区別するより、できるだけだれにでも同じように英数国理社といった教科を高校で教えたほうがいいという考え方が強まっていったからです。もちろん、今でも職業科目を中心に教える高校はあります。ですが、そこに入学する生徒の割合は、たくさんの人が高校に行くようになるにしたがって逆に減っていきました。それに、日本の高校の場合には、職業科目を教えるといっても、英数国理社といった普通科目の授業時間が、他の国の同じような職業教育を行う学校に比べると、けっこうたくさんあるのです。

このように、だれにでも、できるだけ同じように、英語や数学や国語や理科や社会の勉強を教えるほうがいいと考える大人が多かったのです。その結果、いわゆる普通教科と呼ばれる科目を中心に、高校を卒業するくらいまでは、だれもが同じような勉強をすることになったのです。

ところが、皮肉なことに、ほとんどだれもが高校に行くようになったころから、今度は、「自分はそれほど勉強したいわけではないのに、どうして勉強しなければいけないのか」とか、「社会で役立ちそうもない、こんなことまでどうして勉強するの？」と思う生徒が増えていきました。これも、考えてみれば当然の結果です。だれもが、本当に勉強したいと思っているわけではないのに、高校に行くことがだんだんと、あたりまえのことになっていったからです。

そのなかで、「本当は自分は勉強には向いていないのに……」と思う生徒たちも、高校入試のことを気にするようになり、受験競争に巻き込まれていきました。そして、昔もいたはずの、それほど勉強好きではない生徒まで、中学校を卒業したあと、さらに三年間高校で普通教科の勉強を続けることになったのです。

だれもが高校に行けることは、望ましいことだと考えられてきました。ですが、その「夢」が実現しそうになったころに、それは夢でもなんでもなく、ある子どもにとっては、したいわけでもない勉強をさせられる学校生活の延長となったのです。「どうして勉強しなければいけないの?」という疑問が生まれる背景には、こういう時代の変化があったのです。

それでもともかく勉強するのはなぜか

つぎに、「好きでもない勉強をしなければいけないのはどうして?」という疑問を、今度は、ちょっと別のひねり方をしてみましょう。

「こんなふうに思う中学生でも、どうして多くの生徒はともかく学校に毎日行って、授業を受けているのか。そして、少なくとも試験の直前くらいは、ちょっとは勉強しなければと思う生徒がたくさんいるのか」という疑問に変えてみるのです。

なるほど、そう考えてみると、不思議に思えることがあります。今の日本には約三六六万人の中学生がいます。これだけの数の子どもたちが、毎朝学校に行き、授業を受けている。こんなにたくさんの子どもたちが、学校で毎日「勉強」しているのです。これがどれだけ大変で、すごいことなのか。たとえば、学校というものがまったくなく、これだけの数の子どもたちひとりひとりに、どこかで同じように勉強をさせようとしたら、他にどんな方法があるのかを想像してみるといいでしょう。

たとえば、ひとりひとりに郵便で教科書を配って、手紙か電話で読むように連絡しようとしたら、それがどれだけ大変か。これだけの数の子どもたちを、それぞれの地域ごとにどこかに集めるだけだって、並大抵《なみたいてい》のことではありません。しかも、集めるだけではなく、同じような内容の知識がつまった教科書にともかくも目を向けさせるのです。

中学生に人気のあるテレビ番組だって視聴率が五〇％を超えることはほとんどありません。それに比べたら、勉強があまり好きでない人も含めて、ほぼ全部の中学生が毎日、同じように勉強をしていることが、どれだけすごいことか。「学校」というしくみなしには、このようなことは、とうてい実現不可能です。

そうやって考えてみると、幼稚園から大学まで、日本全体で六万校以上の学校があり、そこで毎日何かの勉強をしている人たちが二〇〇〇万人以上もいるということが、どれだけすごいことかわかるでしょう。どんなに人気のあるアイドルだって、アニメだって、ゲームだって、これだけの人を一つの活動に導くことはむずかしいはず。それを、あたりまえのことのようにやってしまうところに、学校というしくみの不思議な魔力があるのです。

いや、もっと正確にいえば、実は、あたりまえのことのように思っているからこそ、これだけすごいことができるのです。朝起きたら学校に行くのもあたりまえ。始業のチャイムが鳴ったら、席に着くのもあたりまえ。授業が始まったら、ともかく静かにすわっているのがあたりまえ。試験では高い点数をとるほうがいいのがあたりまえ。中学校を卒業したら高校に行くのもあたりまえ。

「どうしてこんなことまで勉強するの？」と疑問に思う生徒がいても、そういう生徒も含めて、ともかく勉強するように仕向けるしくみが、これらたくさんの「あたりまえ」を通してはたらいています。ですから、学校というしくみについて考えてみることとは、こういうたくさんの「あたりまえ」が、どんなふうに生徒たちの行動をコントロールしているのか、そのはたらきに目を向けることになるのです。

「学校って何だろう」、この疑問に対する答えも、一つではありません。だからこそ、この本では、読者であるあなたといっしょに、いろいろな角度から、いろいろな答えを考えながら、これら「あたりまえ」のはたらきを明らかにしたいと思うのです。そうすることで、知らず知らずのうちにしていることがらが、実は生徒たちを取り巻いている学校というしくみや、学校の外側にある社会からの影響を受けていることがわかってくるでしょう。さらには、そういう影響関係がわかってくると、その中で、私たち自身がどんなふうに考えていけばいいのか、どんなふうに行動していけばいいのかということも、少しははっきりしてくるかもしれません。

教室は偉大な発明だった

そこでつぎに、このような学校のしくみ、とくにそこにいる人たちに、知らず知らずのうちにある行動をとらせてしまうようなしかけについて、ここでも「あたりまえ」のことを取り出して、考えてみましょう。ここでは、「教室」に注目してみます。

ところで、あたりまえと思われていることを問い直す方法には、大きく分けて二つあります。一つは、別の場所（別の国や地域）に目を向けること、つまり「比較」です。もうひとつは、別の時代（過去や未来）に目を向けること、つまり「歴史」です。ここでも、この二つを使って「教室の形」というあたりまえのことがらを考え直してみましょう。

まずは、比較からやってみましょう。

イギリスでも、タイでも、中国でも、学校の教室はどこも似た形をしています。前のほうには黒板や教卓がある。そして、それに向かい合うように、生徒がすわるイスと机がならんでいる。このような教室という場所の特徴は、まるで万国共通です。どの国の学校に行っても、そこが教室であることをあなたはすぐに理解できるでしょう。それにしても、別に国際連合やユネスコのような国際機関が決めたわけでもないのに、どうしてどこの国でも教室の形は似ているのか。だれかがこうしろと言って決めたわけではないのに、どこでも同じというのはちょっと不思議です。こうやって「比較」という方法を使うと、ふだんあたりまえに見ていることが、ちょっとだけ違って見えてくるのです。

さて、この万国共通の教室という不思議を考えるうえで、「部屋の向き」を手がかりにしましょう。

教室の中で、先生から「前を向きなさい」といわれたら、あなたはどこを見ますか。

たぶん、黒板や教卓のあるほうを向くのではないでしょうか。どうしてそっちを向くのか。おそらく、とくにどっちが前かなんて考えなくても、自然とからだがピクッと反応して、黒板のほうを向いてしまうでしょう。つまり、教室という部屋には、どちらが前か決まった向きがあるのです。

同様に、映画館やコンサートホールのように、床にイスが固定されている場所では、イスにすわったとたん、そこにいる人たちはみんな「前」を向くことになります。イスが人のからだを前に向くように固定していて、すわった人は前を向くように強制されているのです。そして、その自然な（強制された）姿勢で、おおぜいの人たちが、「前」にいる人の話や音楽などを集中して聞く、ということができるのです。

それでは、教室の場合はどうか。中学校の教室について考える前に、大学を例にとってみましょう。そのほうが、イメージがつかみやすいからです。中学校の教室では、イスや机が床に固定されていることはありません。でも、大学などでは、机とイスが黒板のほうを向いて床に固定されている「講義室」がめずらしくありません。テレビのニュースなどで、大学受験の場面がでてきたりするのを見たことがありませんか。大きな部屋に、机とイスが半円形に行儀よく並んでいる部屋もあります。そして、それぞれのイスにすわると、からだが自然に黒板のほうを向くようになっている。つまり、そのイスにすわった人は、映画館やコンサートホールのイスにすわったときのように、自然と（強制されて）「前」を向いて、そこにいる人の話を聞くような姿勢になるのです。

もしも、ちょっとした広さのある場所で、おおぜいの人がばらばらの方向を向いていたとして、そこにいる人たち全員に何かを伝えなければならないとき、あなたはどうしますか。

少しだけ本をおいて、自分で考えてみてください。

まずは、注目を集めるために、大声で「こっちを向いてください」と叫ぶでしょうか。でも、その場所がたとえば野原とか、体育館とか、そういうところだったら、あなたがどこにいるのか、そこにいる人たちはすぐにわかるでしょうか。手を振ったり、ジャンプしたり、もっと大きな声で叫んだりして、どっちを向いたらいいのかを知らせるだけでも大変です。だいいち、そこにいるみんなの注目を集めるためには、どこに立てばいいのか、あなたはきっと相当悩むはずです。向きのはっきりしない場所では、そもそも話を伝える前に、そこにいるおおぜいの人たちに自分のほうを向いてもらうだけで苦労するのです。

それに比べると、学校の教室はどうでしょう。床にイスが固定されているような教室では、そこにすわった人たちは、自然と「前」を向いています。ですから、あなたがその「前」の場所に立てば、苦労もなく、とりあえず、みんながあなたのほうを向いていてくれるはずです。たとえそれが休み時間で、みんなが自由にばらばらの向きで立っていたり、すわっていたりしても、みんなは「前」を向いてくれるのではないでしょうか。

こう考えてみると、とくに変わったように見えない教室が、いかに偉大な空間の発明であったのかがわかるでしょう。その部屋に入れば、ほとんど自動的に「前」にいる人の話を聞く体勢ができる。そういう空間として教室は発明されたのです。

教育が発明される前の「教室」

あたりまえのことを疑う二つ目のやりかたとして、別の時代をみる、つまり「歴史」という方法があります。今度はそれを使って、現在の教室について考え直してみましょう。なお、以下は、森重雄さんの研究（『モダンのアンスタンス』ハーベスト社）を参考に、私なりの説明を加えたものです。

寺子屋《てらこや》という言葉を聞いたことはありませんか。江戸時代に庶民の子どもが行っていた学校です。そこで、子どもたちは字の読み書きや、そろばん（計算）などを習いました。ところで、寺子屋の教室は、どうなっていたと思いますか。今の学校のように、向きのはっきりした部屋だったのでしょうか。生徒（当時は「寺子《てらこ》」と呼ばれていました）たちは、先生（「師匠《ししょう》」です）と向かい合ってすわっていたのでしょうか。

つぎのページの絵を見てください。これは、昔の寺子屋の様子を描いたものです。見てわかるように、今の教室とは違って、寺子たちは同じ方向を向いているわけではありません。お師匠さんのいる場所も、今の教室の教壇《きょうだん》の場所とは違いますね。このように寺子たちがすわっているのは、寺子屋では、今の学校のようにみんながいっしょに何かを勉強していたわけではないからなのです。寺子屋では子どもたちが、それぞれ自分の進度に合わせて字を習ったり、本を読んだりしていました。そして、ある程度できたところで、先生のところに行って、自分の字を直してもらう。習字の塾に行ったことのある人なら知っているようなやりかたで、子どもたちは勉強していたのです。

だから、もしもだれかが寺子屋で、「前を向きなさい」といっても、子どもたちはどちらを向いたらよいのかわからなかったかもしれません。これは私の想像ですが、自分の使っている机にきちんと向かってすわった姿勢が、「前を向く」ことだったのかもしれません。ひとりひとりの「前」は、人ごとに違っていたといえるのかもしれ

寺子屋の授業風景（渡辺崋山筆『一掃百態』より）

ません。

ところが、江戸時代が終わって明治の時代になると、日本も欧米にならって近代的な教育を始めることになりました。文明開化、維新と呼ばれたこのころ、日本のリーダーたちはさまざまな分野に当時の文明の最先端と思われていたヨーロッパのしくみや方法、技術を取り入れました。そして、今風の教室もこのころにできたのです。畳にすわり机に向かう寺子屋しか知らなかった当時の人たちにとって、学校という建物は、大変近代的なものとして目に映ったはずです。寺子屋で、師匠が習字やそろばんを教えるのが「常識」だったときに、しかも「教育」という言葉さえ聞き慣れない言葉だったときに、西洋風の、今と変わらないような学校の建物と教室がつくられました。そのとき、教育のしかた、教室の使い方などは簡単に、自然に変化したのでしょうか。数年前まで寺子屋の師匠をしていた人物になったつもりで、西洋風の教室に立ったときのことを想像してみてください。

実際に、そういった欧米風の教室を使って、どうやって「教育」を行ったらよいのか、そんなことを知っている先生はほとんどいませんでした。そこで、教室という部屋にどうやって生徒たちを連れていって、すわらせるのか。すわってからはどうやって話を聞かせるのかということを細かく図入りで解説したマニュアルが必要になりました。つまり、マニュアルを作成し、教室入場→着席→授業→教室退場のそれぞれの場面の様子を図で解説しなければ、教育ができなかったのです。というより、新しくできた学校で行われる教育というものが、どんなことをするのかを、教室という空間の使い方といっしょに解説しなければならなかったのです。どんな教科をどんな教科書で教えるのか、そういうことも外国から学ばなければなりませんでしたが、あわせて、たくさんの生徒たちにいっせいに知識を教える教え方を「教育」と呼んで、教室という空間の使い方といっしょに伝える必要があったのです。

先生から「前を向きなさい」といわれて、からだが自然にピクッと反応するようになる。からだにまでしみつくほど、教室の向きが自然にだれにでもわかるようになるには、こういう歴史が必要でした。つまり、昔をふり返ってみると、今の教室の形がけっしてあたりまえではなかったことがわかるのです。

見られているのはだれか

このように発明された教室というのは、大変便利な空間でした。学校に行ったら、先生がいつも立つ黒板の前に自分も立って、教室をながめてみてごらんなさい。どうです。教室のすみずみまで、よく見えるでしょう。もしだれかが、後ろや横を向いていたり、机の下でマンガなんか読んでいたりしても、先生の位置からは、教室の全体がよく見わたせるのです。

教室の前から後ろを見ると、よく見わたせる。そういう場所に先生が立っています。見ているということは、そこから、生徒を注意したり、「こうしなさい」「ああしなさい」と命令ができます。先生が「前を向きなさい」というとき、たんに姿勢を正すことだけを求めているのではなくて、「先生の話を聞きなさい」ということや、「ここは（授業の）重要なポイントだよ」ということを言外に示していることがあります。前を向けというのは、集中しなさいということでもあるのです。こうやって、前にいる人が、後ろにすわっているおおぜいの人をコントロールしている。教室の向きが決まった空間の中で行われる、人と人との関係（つまり先生と生徒とのやりとり）は、このように〈見る―見られる〉という形になっています。そして、その関係の特徴は、コントロールをする側とされる側の関係ということにあるのです。

教室という空間の発明は、こうやって、少数（あるいは一人）の人が、おおぜいの人をコントロールしながら、知識を伝えることを簡単にしました。「前を向きなさい」が、「集中しなさい」につながる。教室の向きには、そういう「一人対多数」の関係が隠されていたのです。これは、多くの人たちにいっせいに何かを教えようとするときには、大変便利なしくみです。あなたの学校の教室にも、こういう便利さが潜《ひそ》んでいたのです。だからこそ、国際的な機関の取り決めがなくても、近代的な教育を行おうとするところではどこでも、同じような教室がつくられていったのです。アメリカでも、イギリスでも、中国でも、タイでも、日本でも、学校の教室が同じような形をしているのは、どこでも同じように、おおぜいの人たちを相手に教育を行うのに便利な空間だったことによるのです。

第2章

試験の秘密

試験はドキドキ、ハラハラ

小学校のときには、テストといえばたいてい授業中にやっていました。それが、中学校に入ると、中間、期末といった「試験」の時間が特別につくられます。出題の範囲も、教科書のどこからどこまでか、あらかじめ知らされます。ふだんの予習や復習の勉強とは違う、「試験勉強」をするようになるのも、中学校が小学校と違うところです。

中間や期末試験のときには、特別の時間割になる学校が多いでしょう。試験のやり方も、小学校のときとは違っています。どのクラスでもいっせいに試験が行われているので、中間や期末試験のときには、学校中がシーンとなって、ふだんの学校の雰囲気と違ってきます。小学校のときに、クラスごとにやっていた小テストのやり方より、時間制限にしても、試験問題の配り方や集め方にしても、もっと厳密、厳格に行われるようになります。

「いよいよ試験だ」という気持ちの高ぶりを感じたり、緊張したりすることもあるでしょう。小学校のときの授業中のテストの雰囲気とはがらっと変わって、「この試験で成績が決まるんだ」というプレッシャーを強く感じる人もいるでしょう。

試験が終わると、「あー、やっと、終わった！」とか、「残念、あの問題、できなかったなあ」とかいった、ちょっと特別な気持ちになるのも、中間や期末のような大きな試験の特徴のひとつです。

試験の採点が終わって、答案用紙を返されるときのムードも、小学校のときとは違っているでしょう。ドキドキしながら点数を見たり、できなかったと思っていた解答に意外と点数がついていて喜んだり、逆にあっていたと思っていた答えが違っていてがっくりきたり、試験の後にも、ふだんとちょっと違う気分を味わうことが多いでしょう。

どうして試験というとドキドキするのでしょう。試験の結果を返してもらうときの、あの「がっくり」や「ラッキー」や「やったー」という気分はどうしてでてくるのでしょうか。これから、「試験」について考えていきましょう。

試験のルール

あなたはもう、試験の受け方についてはよく知っていますね。試験のときに、どんなことはしてはいけないのか、どんなことをするべきなのか、といった試験の基本的ルールについてです。

たとえば、つぎのようなことです。

・他の人の解答を見てはいけない。
・教科書や参考書などを開いてはいけない。
・となりの席の人とおしゃべりをしてはいけない。
・開始の合図があるまで、解答用紙に手をつけてはいけない。
・終了の合図があったら、解答をやめなければならない。
・解答用紙には自分の名前を書かなければならない。
・問題と関係のないことを解答用紙に書いてはいけない。

あらためて考えてみると、試験のときには普通にやっていることにも、これだけのいろいろなルールがあるわけです。このなかで、あなたが意識してやっていることがいくつありますか。気をつけていないと、忘れてしまいそうなことはありましたか。あまりないのではないでしょうか。

こうやって、振り返ってみると、試験の時間に何百人もの生徒たちが、いっせいにほとんど同じルールにしたがって解答用紙に向かっている様子が不思議に見えてきませんか。ふだんの授業中だったら、後ろやとなりの席の友だちとちょっとおしゃべりをしたり、悪ふざけしてしまいそうな生徒、自分の席を離れて歩きまわってしまう生徒もなかにはいるかもしれません。それがさすがに試験の時間となると、たいていの生徒たちは、これらのルールにしたがってきちんと試験を受けるのです。

大学での実験

試験についてのさまざまなルールや暗黙の約束事をどれだけ「あたりまえ」のことと見なしているか。小学校から始まる長い間の学校経験を通じて、私たちがこのようなルールをどれだけ身につけているか。私は、大学の授業でそのことを「実験」してみたことがあります。どんな実験だったか、説明しましょう。

私は大学で「教育社会学」という授業を担当しています。授業は、週一回、九〇分くらいです。その第一回目の授業のときに、学生たちに何も書いていない答案用紙を配ります。ただし、学生たちには、これからテストをするとか、採点するとかいっているわけではありません。ただ、黙って用紙を配るのです。

そして、たとえば、「分数の割り算はどうして割るほうの分数の分子と分母をひっくり返してかけ算にすればよいのか」といった問題を出します。その紙を授業の最後に集めます。そして、次の週の授業のときに学生たちに返すのです。その紙の右上のほうには、学生たちが何を書いたかとはまったく関係なしに、赤いペンで「A」とか「B」とか「C」とか書いておきます(大学では成績は一〇〇点満点ではなく、アルファベットであらわすことが多いのです。そしてたいていAがよい成績を表わします)。

全員に紙を返した後で、「Aの人は手をあげてください」といいます。すると、うれしそうな顔をして手をあげる人が何人かいます。その中のひとり、ふたりに「感想は?」と聞くと、「思ったよりもよかったです」などと喜びを隠しきれない答えが返ってきたりします。つぎに「それでは、Dの人、手をあげてください」というと、今度は恥ずかしそうに、おずおずと手をあげます。また、「感想は?」と聞くと「思ったよりよくなかったですね」という答えが返ってきます。「でも、AとかBとかDとかが成績だって、だれがいいました?」と私がいうと、学生たちはみんなきょとんとした顔でこちらを向きます。

先生が生徒たちに何かを答えさせる。それを集めて、赤い字でAとかBとか書いた後、生徒にもどすと、多くの人はそれを成績だと思い込んでしまうのです。それだけ、先生は生徒たちを「テスト」するものだという思い込みをそれまでの学校での経験を通じて身につけてしまっているということでしょう。でも、だれもが最初から、こうしたルールを知っていたわけではありません。では、どうやって身につけてきたのでしょうか。

試験のやり方は教わるもの

清矢《せいや》良崇《よしたか》さんという教育社会学者が、小学校一年生の教室に入って、こんな「観察」をしました（『人間形成のエスノメソドロジー』東洋館出版社）。小学生が初めてテストを受けるときに、どんなふうになるのか。そこでの先生と生徒とのやりとりをじっと観察したのです。中学生のあなたはもう忘れてしまったかもしれません。でも、この観察の結果をもとに、いっしょに昔のことを思い出してみましょう。

小学校で初めてテストをやるとき、先生は一年生のまだ幼い生徒たちにこんなふうに言ったそうです。

「さあ、今からテストだからだまってやるの。何も言わない」

「（テスト用紙を）もらったらお名前書いて、番号も書いて。さあ、だれが一〇〇点もらえるかな。（テスト用紙が）あまったらください」

「はい、じゃあやりましょう。となりの人のを見てはいけませんよ」

いまのあなただったら、当然知っていることばかりですね。でも、初めてテストを受ける小学生にとっては、教えてもらわなければわからないことばかりです。

あなたは生まれて初めて受けた試験やテストのことを思い出しましたか。思い出せないかもしれませんが、どこかでだれかからこういうことを習わなければ、テストだってちゃんとは受けられないはずです。

テストのときには「だまってやる」。解答用紙には、先生に言われなくても、名前や番号を書く。あまった用紙は先生に返す。それに「となりの人のを見てはいけません」。たぶん、あなたも、小学校の一年生のときには、こんなふうに先生から「テスト」のやり方を教わったのです。そして、何度も何度もくりかえしてテストを受けていくうちに、いちいち先生からの指示がなくても、こうした試験のルールにしたがって、おしゃべりをしないことや、となりの人の答えを見てはいけないこと、名前や番号をちゃんと書くことなど、試験の時間になれば、からだが自然に反応するようになっていったのです。

ルールを知らないと試験はどうなるか

それでは、生徒たちが試験のルールを知らなかったらどんなことが起きるのでしょうか。試験のルールを無視した試験がどんなふうになるのか、本をおいてちょっと想像してみましょう。

テストのルールを知らなければ、ついついとなりの人の答えを見てしまう人がでてくるかもしれません。教科書や参考書をとりだして、答えを探す人だって現れるかもしれませんね。みんなで相談して答えようとする人も出てきそうです。解答用紙に名前や出席番号を書くことだって、知らずに忘れてしまうかもしれません。クラスの他の人の名前を書いたりしたらどうでしょう。

「始め」の合図がないのに、配られた順番に、生徒たちが勝手に解答を記入し始めたら、どうなるのでしょうか。あるいは、逆に、時間が来ても、やめない人がいたら、どうなるでしょう。

「そういうのは、そもそも試験じゃないよ」「それでは、試験にならないよ」と思った人。「人のを見たら、カンニングじゃないか。そんなのずるい」と怒りを感じた人。参考書を見るのも同じですね。「先に始めた人はずるい」と感じた人。「いつまでもやってていいんだったら試験が終わらないよ」と時間のことを気にした人。「みんなが答案に名前も番号も書かなかったら、先生、困るだろうなあ」と、心配になった人。他の人の名前を書いたりしても、同じことが心配になります。

試験の秘密に迫る重要な問いは、こういうことを感じた人のすぐ目の前にあります。「それでは試験にならないよ」と感じた人は、どうしてそう思ったのか。そういう考えが浮かぶためには、あなたの頭の中に、「だって、本当の試験というのは、〇〇なものだ」といった、あなた自身がよく知っている試験についての「常識」が隠されているはずなのです。ですから、「それでは試験にならないよ」と思うことの裏返しのなかに、試験の秘密が隠されているのです。「試験にならないよ」と思ったときに、その反対に、「こうこうならば、試験になる」とか、「こうすれば、それは試験と呼べる」と考える、物差し（基準）があるはずです。「試験にならない」という判断をする物差しとして、あなたが思い浮かべた試験というのは、いったいどういうものか。そこをじっくり考えていくと、試験とは何かが、わかってくるのです。

試験の時間

「始め」の合図がないうちに、配られた順番から、生徒たちが勝手に解答を記入し始めてしまったら、試験はどうなるのか。あるいは、逆に、時間が来ても、みんながやめなければ、どうなるのか。「そんなのは、もう試験とは呼べないよ」といいたくなる自分の感覚を少しだけ止めて考えてみましょう。

同じ時間内に解答をするということは、試験の基本的なルールのひとつです。でも、どうして、同じ時間内でみんなが解答しなければならないのでしょうか。それも、どうして、五〇分とか一時間とかいった、短い時間のうちに答えなければならないのでしょうか。

試験を受ける人に同じ時間内で答えてもらう、時間の制限というのは、たしかに、試験の条件を同じにするためのものといってもよいでしょう。ちょうど、走る速さを測るのに、一〇〇メートル競走をする場合の、一〇〇メートルのトラックと同じと考えてもよいのかもしれません。走る人によって一〇〇メートルの長さがまちまちだったら、測ったタイムを比べることができるでしょうか。逆に、一〇〇メートルという距離は同じでも、時間を測るストップウォッチの針の進み方が、それぞれ違っていたらどうでしょうか。どちらの場合も、かかった時間を比べて、だれが一番足が速いのかを見つけることはできなくなってしまいます。試験で時間を同じにするのも、これと似ているのかもしれません。でも、なぜ時間をそろえるのか。時間をそろえることで、何を測るのか。

二四時間試験の恐怖

ここで、私が今までに体験したうちで、もっとも印象に残っている試験の話をしたいと思います。アメリカの大学院で勉強していたときのことです。ある学期に私は、アメリカの有名な社会学者、コリンズ教授（日本でも『脱常識の社会学――社会の読み方入門』岩波書店、などの翻訳書が出版されています）の授業を受けました。その先生の試験は、「二四時間試験」と呼ばれる方法でした。

アメリカの大学の授業では、たいてい、学生たちにたくさんの本を読ませます。それらの本をあらかじめ読んでおかないと、先生の授業を聞いてもよくわからない、というしくみになっています。

コリンズ先生の授業は、私たちがいま暮らしている経済のしくみ（「資本主義」と呼ばれています）が、どのようにして誕生してきたのかを、さまざまな歴史書を読みながら、解説していくというものでした。その中間テストに、二四時間試験が行われたのです。

二四時間試験とは、その名の通り、二四時間以内に答案を提出するというものです。といっても、学生がみんな教室に泊まり込んで、答えを書くわけではありません。試験の様子は、こんなふうでした。

中間試験の問題が出されるという朝の授業に、みんなが出かけます。教室に入ると、黒板にはすでに八つくらいの問題が書かれていました。私の記憶が正しければ、学生たちはそのうちの三つを自分で選んで解答するというものでした。学生たちは、問題をノートに書き写すと、すぐに自分の家に帰ります。解答は、翌朝の同じ時間までに先生に提出しなければなりません。二四時間一本勝負（いや三本勝負？）でしょうか。私も、問題をノートに写した後に、すぐに家に帰って問題に取り組みました。

「えっ？　家に帰ってから問題に答えるの？」「それじゃあ、教科書だって、ノートだって見られるじゃない」「そんなの試験とはいえないよ」。このような疑問をもった人がいるかもしれません。なるほど、今の中学校で行われている試験とはずいぶん違う方法がとられています。

たしかに、この試験の場合には、何を見てもよいのです。これまで授業で読んできた本や、授業中にとったノートを参考にしてもよいのです。というよりも、本やノートを参考にしながら、自分の考えを書くというのが、この試験のねらいなのです。「でも、それでは、他の人の答えを写してもいいの？」という疑問をもった人はいませんか。それはだめ。というのも、自分なりに考えたことを書けるかどうかが、この試験の採点のポイントとなるからです。どんな答えが期待されているか、ということについては、試験の時間の話から少しずれてしまうので、ここではひとまずおいておきましょう。この話題にはあとで触れます。

さて、ここまで二四時間試験の話を書いてきたのは、試験の時間について検討するためでした。たしかに、この試験の場合にも二四時間という時間の制限があります。でも、あなただったら、この二四時間をどんなふうに使いますか。食べる物も食べず、お風呂にも入らず、寝もしないで、ずっと試験問題に取り組むでしょうか。それとも、ふだんの生活をしながら、二、三時間くらいでかたづけてしまうでしょうか。なるほど、二四時間という大きな枠は決まっています。しかし、それをどう使うかは、人によって違ってくるのです。

英語が母国語ではない私の場合は、二四時間のほとんどを、問題への解答にあてました。食事はとりましたが、本やノートを調べ、最後にはコンピュータで英文を書き、ほとんど寝ないで答案を先生のもとに提出したことを覚えています。アメリカ人の学生の中には、二、三時間ですませてしまった人がいたかもしれません。でも、日本人の私の場合には、英語の本を読み直すスピードだって、答えを英語で書く速さだって、アメリカ人の何倍かはかかったでしょう。

しかし、英語の能力だけが、時間の使い方を決めるわけではありません。アメリカ人だって、人によって時間のかけ方は違っています。

つまり、これだけ長い時間が与えられた場合、実際に何時間を使うべきか、その判断自体が、解答者にゆだねられているのです。実際の時間のかけ方は人それぞれで違う。それでも二四時間と、時間の設定を同じにするのは、みんな同じ条件で試験を受けているのだということを示すためです。もちろん、時間制限がなければ、いつ答案を提出するのかわからなくなってしまうでしょう。しかし、それ以上に、だれにでも同じ時間を与えるのは、試験を受ける際の条件はみな同じだ、ということを意味しています。

二四時間試験の場合、他の条件は解答者ごとに違います。解答を考える場所も、参考にするノートもひとりひとり違っています。それでも、時間だけはいっしょ。そのことが、同じ条件で試験にのぞんでいることを保証する、大事な約束事なのです。

もし時間という条件まで同じでなければどうなるか。A君には四八時間が与えられ、B君には一二時間、C君には六時間だったらどうなるか。実際には、三人とも五時間くらいで解答し終わったとしても、きっとC君は「どうして自分だけ短いのか」と不公平に思うでしょう。そうなのです。試験の重要なポイントは、受験者が公平だと思えるかどうか、ということにあるのです。

公平と比較

それではどうして、「時間」ということが、他のことがらに比べて公平さを保証する重要な条件となるのか。塾のおかげで授業がすっかり理解できたA君には三〇分、授業にあまりついていけなかったB君には八〇分、今学期は休みがちだったC君には三時間、という時間が与えられた試験を中学校で行ったら、どうしていけないのか。ちょうど、スポーツ競技などで、いろいろなハンディをつけるように、試験だって、時間にハンディをつけてもよいはずです。ところが、たいていの場合には、時間制限を人によって変えることはしません。同じ条件で試験をするという場合、非常に重要な要素として、時間をそろえることがあたりまえの前提にされているのです。

ここには、学校での試験についての基本的な考え方が隠されています。第一に、時間が同じであることが、同じ条件で試験を受けているのだという、「公平さ」の保証になること。第二には、受験者の学力を最終的には同じ物差しで比べるためには、時間をそろえておかなければならないと考えられていること。そして第三に、これらのことがいえるのは、試験ではかられる「学力」は、勉強したことを一定の（たいていは短い）時間の中で表現し直すという、時間やスピードと関係していることです。

この第三の、時間やスピードと関係した学力のとらえ方は、学校というしくみの基本的な特徴と密接に結びついています。人の能力をはかるときに、一定の短い時間の中で表現される能力や実力を見ようというのは、もっといろいろありうる能力の見方の一つにすぎないからです。何十年もかけて、素晴らしい小説を一つだけ書いた作家の能力と、短い時間にたくさんの文章を書ける流行作家の能力と、どちらがすぐれているか、芸術の世界では比べようがありません。同じように、人の何倍も時間をかければ、ずっといい解答ができる人もいるでしょう。それに対し、短い時間にとりあえず正しい答えを探すのが得意な人もいるでしょう。どちらの生徒が、本当に能力があるのかは、能力というものをどのように考えるのかによって違ってくる問題なのです。

ところが、たとえていえば、マラソンの得意な人も、五〇メートルのダッシュが得意な人もいるでしょうが、約束事として、四〇〇メートル走でしか足の速さを測れないことになっているのです。

前に、二四時間試験の話をしたときに、どんな答えがすぐれているかという点を宿題として残しておきました。この宿題は、ここでの問題と関係しています。短い時間で、読んだ本の内容を正確にまとめるだけなら、たしかに、速くできる人に能力があるといえそうです。ところが、二四時間という時間をめいっぱい使って、読んだ本に書かれていることをもとに、自分なりの考え方を示すことが求められているとしたら、どうでしょう。どういう答案に先生はいい点をつけるのでしょうか。

こういう試験では、どんなことを書くのかは、人それぞれで違ってきます。つまり、本に書かれていることの中からすばやく答えを見つけるのではなく、本に書かれたことをもとに、どれだけ自分自身の考えを深めていくかが求められるのです。だから、こういう試験では、人の書いたものを丸写ししてもいい成績はもらえません。考えを深めたことが表現されていないからです。このように、他の人と似たりよったりのありきたりの答えを書くよりも、もっと時間をかけて、自分なりのアイデアを示すことで、いい成績をもらえる試験もあるのです。

時計の時間

それに対し、中学校で行われる試験は、もっと短い決まった時間の中で問題に答えるものです。そして、その時間内に答えた結果が成績となります。もっとずっと長い時間をかければ解けるかもしれない問題でも、短い時間の中でやらなければならない。その意味で、中学生の「学力」(勉強ができるかどうかを示す能力)は、ある一定の時間の中で発揮される能力のことをさしているのです。

一定の時間内で能力を発揮することが重要なのは、私たちが生きている社会の特徴を反映しています。会社勤めならば、何時までに会社に行くのかが決まっています。人と会って仕事の話をするときでも、いつ、どこで会うのか、どれくらいの時間をかけるのか、といったことが重要になります。イベントであれ、新製品であれ、いいアイデアが浮かんだらできるだけ早く実行に移す。そのためにも、一定の時間内に仕事をこなしていくことが求められます。

工場でものをつくる場合も、どれくらいの時間をかけて、何をどれだけつくるのかを決めておくことが大切になります。つくるのに必要な材料が、どれほどいるのかも、何時間で何個つくるかによって決まってきます。できるだけ短時間で製品をつくれれば、一日当たりの生産量は増えます。それだけコストも安くなります。

店でものを売る場合にも、時間は重要です。どれくらいの時間で、どれくらいの商品が売れるのか、それによって仕入れの時間も量も決まります。開店、閉店の時間も、お客さんの来そうな時間にあわせなければなりません。開店前にどれだけの準備をしておくのか。限られた一定の時間内で仕事をする必要があります。

このように、いろいろな人が協力しあって、むだのないように仕事をするためには、どれくらいの時間で何ができるのかが重要になります。短い時間内に集中して問題に答える。それは社会のしくみと関係しています。時間で試験を区切るのも、社会に慣れるための訓練の一環といっていいでしょう。

さまざまな時間

昔のように、農業が中心の時代や、狩猟や漁をしていた時代には、今の社会のような意味での時間の制約は少なかったといえるでしょう。農業の場合であれば、どんなときに種をまくのか。田植えは、草取りはいつごろか。収穫はどんなころがいいのかなど、一時間、一分刻《きざ》みの仕事ではなく、季節の移り変わりといった、もっと大きな時間の流れの中で、仕事をしていたでしょう。

漁業の場合はどうでしょう。日の出・日の入り、潮《しお》の満《み》ち干《ひ》など、魚をとるのに都合がよい時間は、今の会社勤めのサラリーマンが、何時何分に人と会う、工場で何時に操業を開始する、というように決められるものではありません。ビジネスの世界の機械的・人工的な「時計の時間」よりも、日の出・日の入り、潮の満ち干などの「自然の時間」のほうが、作物を作ったり猟や漁をするうえで大事だったのです。こうした時代には、短時間に同一の知的能力をどれだけ発揮するのかは、今ほど重要ではなかったのではないでしょうか。

現代でも、問題によっては短期間で答えの出ないものがあります。一、二時間で能力を発揮するのではなく、何年もかけて、じっくり考えて答えを出していくしかない仕事は、実はいくらでもあります。二一世紀の日本の教育をどんなふうにすればよいのか、といった教育研究者の仕事だって、一日、一週間、あるいは一カ月くらいで答えの出るものではありません（しかも、これが正解というものもないのです）。

試験の時間に慣れすぎると、人の能力は短時間で発揮されるものだという見方をするようになるかもしれません。短時間にどれだけ正解を出せるか。それが人の能力だと見てしまうのです。しかし、こういう時間を超える、じっくりと答えていく問題もあることは覚えておいてください。

学校とは名前を書くところ

試験の約束事の一つに、「必ず名前を書く」があります。どうして試験では名前を書くのか。つぎにしばらく、名前にこだわってみましょう。

学校は、自分の名前を書く機会がたくさんあるところです。自分の名前を書いたものに囲まれた場所といってもよいのです。小学校に入学したころ、教科書の一冊ずつにていねいに名前が書かれていたでしょう。算数セットのように、小さなカードがたくさん詰まった箱の中の一つ一つのものにもあなたの名前が書いてあったはずです。あなたの持ち物のほとんどに、あなたの名前がありました。それから、あなた自身にも——そう、名札です。

名札をつける中学校は多いでしょう。何カ月かすれば、同じクラスのみんなの名前くらい覚えてしまうはず。先生だって、いちいち名札を見なくても、名前を覚えるでしょうし、座席表もあります。名札をつけなくてもわかりそうなのに、それでもみんなが名札をつけている。顔や声や話し方で、だれだかわかるだけでは不十分と考えられているからでしょう。学校とは、つねにだれがだれなのかを名札のような「記号」によって示しておく場所であるといってよいでしょう。

学校は、テストをはじめとして、提出物に名前を書くことの多い場所でもあります。もちろん、自分のものに名前を書いておくのは、他の人のものと区別するためです。このノートはだれのものか。他の人のものと間違えないように名前を書いておく。これはとても常識的な答えです。

ところが、答案用紙に名前を書いておくのは、他の人のものと区別するためだけではありません。答案に書かれたあなたの名前は、ノートや上ばきに書かれた名前とは違うはたらきをもっています。つまり、あなたの持ち物だという「所有」を示すだけにとどまらず、その答案に書かれている解答が、あなた自身、あるいはあなたの一部であることを示しているのです。あなたの学力を映し出したもの。それが名前入りの答案用紙です。

答案に名前を書く理由

試験は、いつもの授業以上に、だれがだれなのかをはっきりと区別する必要のある機会です。というのも、試験では生徒ひとりひとりの学力を把握《はあく》する必要があるからです。試験の答案に名前や出席番号を書くのも、その答案が、その名前の生徒の学力を示すものだということを、はっきりとほかの生徒のものから区別するためです。他のだれのものでもないあなたの学力。それを正確にはかるために、きちんと名前を書く必要があるのです。

消しゴムくらいなら他の人のとまぎれてもそれほど困ることはないでしょう。というのも、消しゴムだったらだれのものか区別できなくなったところで、あなたの一部が他のだれかの一部と間違えられるということは起こらないからです。ところが試験は違います。他の人の答案とあなたの答案とが間違えられたら、あなたの学力が他の人の学力と間違えられたことになってしまうのです。

たとえていえば、病院であなたのカルテが他の人のものと間違えられたときと似ています。あなたの健康状態を記録したカルテが他の人のものと間違えられてしまったとしたら、本当は病気ではないのに、病気だと見なされて注射されるかもしれませんね。健康状態というあなた自身を写し取ったものが、他の人のものと間違えられると、困ってしまうのです。間違えられたのは、カルテというモノであるかのように見えますが、実は「あなた自身」が間違えられたのです。

試験の成績も同じです。他のだれでもない、あなたの成績を映し出したものとして、答案にはあなたの名前が必要です。したがって、あなたの答案を他の生徒のものと間違えられたとしたら、間違えられたのは答案用紙というモノを超えて、あなた自身が間違えられたということになるのです。

見られていないのに見られている関係

ということは、試験は、それまであなたがどれだけちゃんと授業を聞いていたのか、きちんとノートを取ったのか、先生の話や教科書の内容を理解できたのか、授業でやったことを試験の前にどれだけちゃんと復習したのか、といったことを映し出す道具だということです。ふだんの授業や勉強への取り組みが、試験の答案用紙に映し出されるのです。

いちいち先生が生徒ひとりひとりの家に出かけていって、どれだけ勉強しているのかを見なくても、試験の結果がそれぞれの生徒の勉強ぶりを示してくれます。しかも、重要なことは、試験はひとりひとりを区別して、それぞれの生徒の勉強ぶりの成果を示してくれることです。ふだんの授業で、ひとりひとりの生徒がどれだけ勉強に取り組んでいるのかを調べようと思ったら大変です。先生は教えるのをやめて、生徒ひとりひとりの様子をしょっちゅう記録にとどめなければならないくらい面倒《めんどう》なことになるでしょう。でも、試験があればそんな面倒なことをしなくても、ふだんの授業の成果を答案用紙が語ってくれるのです。

このように試験というのは、生徒ひとりひとりの勉強ぶりを示す便利な道具です。だからこそ、学校の中でもとても重要な行事と見なされているのです。試験の前に、前のときよりがんばろうとか、少しでもいい点数をとれるようにふだんより勉強しようと思うようになる。こうして、生徒たちを勉強へと向けるしくみとして、試験という道具が学校の中で重要な位置を占めるようになっていったのです。

第3章

校則はなぜあるの?

中学生になったら

小学校から中学校に進学したときのことを思い出してみてください。中学生になったんだなあと実感したのは、どんなことを通してだったでしょうか。一番印象に残っているのは、どのような変化ですか。

たとえば、授業時間ごとに教える先生が替わる。英語のような新しい教科が始まる。部活動に入る、などなど。いろいろ印象に残っているでしょう。なかでも、制服を着るようになったことは、小学校時代と比べて、大きな変化の一つだったのではないでしょうか。小学生のときには思い思いの服装で学校に行っていた。それが、中学校に通うようになると学校の定めた制服を着るようになる。初めて制服にそでを通したときの、ちょっと緊張した気分をあなたは覚えていませんか。

制服だけではなく、学校にはいていくクツやくつ下の種類・色についても決められていたかもしれません。着るものばかりでなく、かばんやサイドバッグなどの持ち物についても、学校指定のところがあるでしょう。

それから、生徒手帳を初めてもらったのも、中学校に入ってからではなかったでしょうか。生徒手帳のなかには「生徒の心得」のようなページがある。そこには、学校でどんなことをしてはいけないのか、どんなことをすべきか、規則や禁止事項が書いてある。こういう生徒手帳のようなものは、小学校にはなかったでしょう。

こんなふうに思い出してみると、小学校に比べて中学校というところは、服装や持ち物から、細かな行動まで、生徒たちは何をすべきであり、何をしてはいけないのかを、学校が決めている部分がたくさんあることに気づきます。中学生になるということは、細かな規則の森の中に入り込んでいくようなものなのかもしれません。

でも、小学校では許されていたことが、どうして中学生になると禁止されるのか。中学校にはどうして規則が多いのか。校則はなんのためにあるのか。今度は、校則から学校の秘密に迫っていきましょう。

法律と校則

学校では、やってよいことと悪いことがあります。でも、その区別は、どのようにして決まるのでしょうか。一つには、法律のような規則があります。人に暴力を振《ふ》るってけがをさせてはいけない。人のものを盗んだり、こわしたりしてはいけない。二十歳《はたち》になるまでたばこをすったり、お酒をのんだりしてはいけない、などなど。法律で決められている規則については、学校の中であろうとなかろうと、それを破れば罰せられる可能性があります。「可能性がある」と書いたのは、実際には法律の場合だって、その違反がただちに罰を受けることにつながるとはかぎらないからです。見つからない場合もあるし、見つかっても、おおめに見てもらえる場合もあるからです（このようなルール違反のどっちつかずの部分については、校則の場合も同じです。この問題については、あとでまた触れます）。

このような法律のほかに、学校でやってよいことと悪いことの区別をつけているのが校則です。ところが、校則と法律を比べてみると、やってはいけないことの範囲が違うことに気がつくでしょう。制服の規定にしても、かばんなどの持ち物の指定にしても、髪形のルールにしても、どれをとっても法律のうえでは個人の自由にまかされていることがらです。家にいるときに何を着ようと、家族とどこかに出かけるときにどんなかばんで行こうと、そうしたことはまったく法律違反にはなりません。むしろ、男子の丸刈りのように、校則で強制することが、個人の人権（人間としての基本的な権利）をおかしているということで、法律違反ではないかと疑う意見さえあるほどです。

法律違反ではないのに、学校の生徒であるかぎり守らなければならない規則。そうだとすれば、校則を守らなければならない理由は、法律とは違ったところに求められるはずです。その理由とはいったい何でしょうか。そこに、校則の秘密がありそうです。

制服をなぜ着るの？

この問題を具体的に考えるために、制服を例にあげましょう。

制服についての校則を守らないからといって、法律違反になるわけではありません。その規則を破ったからといって、ほかの人が迷惑するわけでもありません。しかも、制服などの服装についての校則があるのは、中学と高校だけ。たいていの小学校や大学には制服はありません。

なぜ、ほかの人に迷惑をかけるわけではないのに、制服の規則を守らなければならないのでしょうか。どうして、中学校や高校にだけ、制服や服装について細かい規則があるのでしょうか。あなたは、どう考えますか。

この問題に答えるために、まずは制服とは何かを考えましょう。制服が何であるのかがわかれば、どうして制服をきちんと着ることが中学校で求められるのかを考える手がかりも得られるからです。

制服とは何か。みんなが同じ服装をしなければいけない場合、そのように決められた服装を制服といいます。英語で言えば、uniform です。この英語の単語は、「一つの」という意味を表す「uni（ユニ）」という部分と、「形」を意味する「form（フォーム）」という部分があわさってできた言葉、つまり、「一つの形」ということです。

それでは、中学生や高校生のほかに、世の中で制服を着ている人にはどんな人がいるでしょうか。看護師、警察官、消防士、フライトアテンダント、ウエイトレスなど。

こういう職業の人びとがユニフォームを着るのはなぜでしょうか。その理由は、ほかの人からすぐにだれだかわかるようにするためです。警察官にしても、消防士や看護師にしても、服装を見ただけでだれだかすぐにわかることは、緊急のときに大変重要です。だれであるのか、区別をつけるうえでユニフォームは役に立つのです。

中学生の制服も同じことがいえます。制服を着ていれば、一目で中学生とわかるからです。

中学生や高校生くらいになると、普通の服装をしていたら、学校の生徒であるかどうかはすぐにはわかりません。実際に中学を卒業してすぐに働く人もいるくらいです。ですから、まずは服装で区別する必要があるのです。

さて、ふだん学校に行っていなければいけない時間に、中学生が制服で街を歩いていたらどうなるか。きっと大人から「学校はどうしたの？」と声をかけられるでしょう。それこそ、「補導」の対象になるかもしれません。

制服によって一目で中学生だとわかることは、学校に行くべき時間に学校とは別のところにいる若者が生徒であるかどうかを判断するうえで役に立ちます。高校生にしても同じです。

このように考えると、制服は、中学生や高校生は学校に行っていなければならないという社会のきまりと関係していることがわかるでしょう。生徒たちを学校につなぎとめておくため、学校の外でウロウロしないようにするためには、一目で生徒であることがわかるほうが好都合《こうつごう》なのです。

しかも、制服はたんに中学生であることを示すだけではありません。校章や名札、ボタンなど、制服は、どこの中学校の生徒であるのかも示しています。同じ黒の学生服でも、ボタンや校章などは、それぞれの学校のものをつけなければなりません。その理由は、どこの学校の生徒であるのかが一目でわかるようにするためです。街でウロウロしている中学生を見かけたとき、どこの中学生かが一目でわかる。つまり、どの学校に連絡すればよいのかもすぐにわかるということです。中学生の行動についてはそれぞれの中学校が責任をもつ、という考え方があるために、たんに中学生であることがわかるだけではなく、どこの中学生であるのかがわかることが必要になるのです。

ところで、制服は英語ではユニフォームというと前に書きました。ユニフォームといえば、野球やサッカーの選手を思い出す人がいるかもしれません。

スポーツの試合で同じチームの人が同じユニフォームを着るのは、敵と味方を区別するということもありますが、それだけではありません。同じ服を着ることで、チームとしての一体感が生まれる。チームの一員として自分もチーム全体のためにがんばるんだ、という気持ちが生まれる。つまり、チームとしてのまとまりを強めるという面もあるのです。

学校の制服の場合も同じです。同じ学校の生徒であるという一体感、自分の学校や同じ学校の生徒たちに対する愛着、そうしたものを強めるうえで、同じ制服を着ることが役立つと考えられているのです。

どの生徒が同じ学校の生徒かがわかる。このことは、学校の外に対しては、だれがこの学校の生徒かを区別する意味があります。と同時に、学校の内に対しては、同じ集団（＝学校）の仲間であるという一体感を強めるはたらきをします。

先生の側から見ると、生徒を集団としてどのようにまとめていくのか、中学校や高校では大変むずかしい問題です。小学生くらいならば、まだ素直に先生のいうことを聞いてくれる。それに対して、中学校や高校で生徒集団をまとめていくのは、大変です。ほうっておいたら、好き勝手なことをしてしまう。先生に逆らおうと思えばできるくらいの、理屈も腕力も備えている。そういう中学生を何十人、何百人単位でまとめあげていく。そのために、制服が有効な手段だと考えられたのです。

どの生徒もぴちっと制服を着ていれば、集団としてのまとまりができていると考えられ、反対にだらしないとまとまりのない学校だと見られてしまう。

そういえば、「服装のみだれは行動のみだれのはじまり」といった言葉を中学校の先生から聞いたことがあります。この言葉について、あなたはどう思いますか。

「非行の芽」

最近はあまり聞かれなくなりましたが、かつては「非行の芽をつむ」ということもいわれました。どういうことか。制服をきちんと着ないような生徒は、たんに服装に問題があるだけではない。いずれは行動のみだれ、つまり非行につながっていくおそれがある。だから、制服を規則通りに着ているかどうかを見ていれば、行動のみだれや非行も予防することができるはずだ。そういう考えです。

なるほど、制服をどのように着ようと、それ自体はだれにも迷惑をかけるわけではありません。法律違反でもありません。でも、先生やまわりの大人たちの目から見ると、制服のみだれは、行動のみだれの前兆、つまり、実際に行動にあらわれる前に外から見えるサインのようなものだというのです。服装にかぎらず、髪の色やヘアスタイルなども、そうした行動のみだれをあらかじめ知らせてくれるサインだと大人たちは見ています。だから、本当に行動のみだれが始まらないうちに、その芽をつんでおこう、つまり予防しておこう、となるのです。

このようにみると、人に迷惑をかけるわけでも、法律に違反しているわけでもないのに、どうして制服についての規則が細かく決められているのかがわかります。行動や心のみだれが服装や髪形のような外見に映し出されるはずだ、と考える大人たちがいるからです。

このような考えは、教育という営みの特徴と密接に結びついています。教育とは、子どもたちを健《すこ》やかに育てること、よい大人になるように手伝うことだと考えると、子どもが「悪く」ならないようにするための予防が重要になります。実際に「悪く」なってからでは遅すぎる。だから、「悪く」なる前に、その芽をつんでおく。そういう考えが先生をはじめ多くの大人たちに共有されているのです。「大人になったらどうなるか」が、判断の基準になるということです。

子どもたちの現在の状態を、今だけの問題と見るのではない。今の状態が、将来の状態につながっていると見る。このような前提が、教育をする大人たちの多くに共有されています。だからこそ、今だけを見れば、だれに迷惑をかけているわけでもない服装のみだれを、将来の「悪い」状態に結びつくサインだと考え、今のうちから注意しておこう、となるのです。

ところが、本当に服装のみだれが、将来の行動のみだれにつながるのか。それが必ず起こるということであれば、ソックスの色や髪の毛の長さの規制のように、細かいルールをつくって、それを守らない生徒たちに目を向けることは、たしかに「芽をつむ」ことになります。でも、細かなルールにちょっとでも違反することが、「非行の芽」といえるかどうか。この判断には、実際にはかなりの幅があります。

これは、ある高校の先生から聞いた話です。その高校で、髪を染めていた三年生に、卒業式への出席をとりやめさせたところ、新聞でそのことが批判されました。生徒の権利をうばっているのはけしからん、というわけです。その後、その学校では、生徒が髪の毛を染めても、以前のように厳しく注意できなくなりました。新聞でまた批判されるのではないかと先生たちが心配するようになったからです。その結果、茶髪《ちゃぱつ》の生徒も増えました。

それから何年かたち、それでは、その高校で非行などの問題が増えたかどうかをたずねました。ところが、実際にはそれほど増えていないというのです。かつては、茶髪は「非行の芽」だと考えられていた。ところが、その規則をゆるめても、行動の面で生徒が「悪く」なったわけではない。外見が将来の行動とすぐに結びつくわけではないことがわかったのです。

反抗のリトマス試験紙

中学生時代の外見（服装や髪形など）が、そのまま大人になったときの「よい」状態とつながるわけではないことは、大人自身、自分たちの経験から実はよく知っていることです。ツッパリ風のかっこうをしていた若者が、三〇歳近くになれば、まじめな、よい父親・母親になっているという例も少なくありません。中学校の先生たち自身、自分の中学生時代に、全員がきちんと制服を着ていたかどうかもあやしいくらいです。

それでも、制服や髪形、持ち物についてなどの細かい規則があるのはなぜか。なぜ、先生たちは、細かな規則まで守らせようとするのか。これらの問いに対する答えの中に、学校という場所の不思議なからくりが示されています。あなたなら、どう考えますか。

私なら、こう考えます。校則を守ることは、学校や先生のいうことを聞いている従順な生徒であることを示しています。反対に、校則違反は、学校や先生への反抗を意味します。校則の中身が何であれ、守るか守らないかが、学校に対する態度を判断する基準になるのです。ソックスの色が白でなければならないときに、ブルーのソックスをはけば、その規則にわざと違反したと見なされます。色は白でも、ワンポイントのマークの入ったものが禁止されていれば、その違反もまた、学校のいうことを聞かないサインだと見られます。学校生活に支障をきたすわけでも、ほかの人の迷惑になるわけでもない、どちらかといえば、どうでもいい規則です。それでも、こうした規則を守っているかいないか自体が、学校に対する態度を表しているととられるのです。中身は何であれ、校則を守らせること自体が大切なことだと考えられるようになる。学校や先生の権威に従っているかどうかを示すリトマス試験紙として、校則は使われるのです。

つぎにこの問題を、ルーズソックスを例に考えてみましょう。

最近ではほとんど見られなくなってしまいましたが、かつて、ルーズソックスをはく女子高生はどこにいっても見られました。東京はいうにおよばず、地方の高校にいっても、大流行といった感じでした。中学生の間ではそれほどではなかったところを見ると、中学校ではソックスについての規則が厳しく守られていたからでしょう。

高校生の間ではあれほどはやったルーズソックスですが、一九八〇年以前の時代だったら、これほどのブームになったでしょうか。私はこんなに流行することはなかったと思います。その理由は、昔の高校は今よりずっと校則を守らせることに熱心だったからです。

ところが、前に紹介した茶髪生徒の事件のように、細かい校則を守らせることが「管理教育」としてマスコミを通じて批判されたり、さらには、文部科学省からもあまりに厳しい指導については、見直すようにといわれたことから、多くの学校では、校則の見直しが行われたり、指導のしかたが変わったりしました。ソックスについても、昔のように厳しく取り締まることが行われなくなったのです。

その結果、たくさんの女子高生たちが、ルーズソックスをはくようになりました。するとどうでしょう。それまでの校則に従えば、違反、つまり学校への反抗と見なされるようなことを、だれもがやるようになった。そのため、反抗でもなんでもなくなってしまったのです。

同じような例は、外国の学校の規則を見てもわかります。たとえば、アメリカの中学校や高校にはたいてい制服はありません。生徒たちは、Tシャツにジーンズ、あるいは流行のレゲエスタイルなど、色とりどりの服装で学校に行きます。口紅やアイシャドーなど、化粧をしていく女子生徒も少なくありません。ピアスも今ではあたりまえ。男の子だって、ピアスをしている人がたくさんいます。それでも、こういうことが校則で禁止されていなければ、どんな格好も「個性」の表現と見なされます。ピアスをしたから学校に反抗的だとか、化粧をしているから不良っぽいとかいった判断がそもそもはたらかないのです。

ところが、反対に校則を守ることが厳しく求められている場合には、ほんのささいな違反も、学校への反抗と見なされます。それとは逆に、守ることがそれほど厳しく求められなくなってしまうと、その同じ行動が、反抗のサインとは見なされなくなるのです。

もしも、ルーズソックスを反抗のしるしとしてはいている高校生がいたら、残念ながらその意図は果たされていないということになります。また、ひょっとすると、あれだけたくさんの女子高生がルーズソックスをはいたのは、もはやこれは反抗のしるしにはならないのだということを感じ取っていたからなのかもしれません。

このルーズソックスの例のように、校則を守ることが厳しく求められているかどうかで、同じ行動でも、意味が違ってきます。学校への反抗的な態度だと見なされる場合もあれば、そうは見なされない場合もある。「何で、こんな細かいことまで」と思えるような規則も、守っているかどうか、そのこと自体が大事なことだと考えられているかぎり、校則違反は、学校や先生の権威を受け入れていないサインだと見なされるのです。

ここには、法律と校則との違いが示されています。ほかの人の迷惑になるかどうかではなく、学校や先生に対する態度を示すサインとして、校則を守っているかどうか自体が見られている。「正しい行動」であるかどうかよりも、「正しい態度」を見るためのひとつの物差しが校則なのです。

「態度」とは、学校や先生に対して、生徒がどのように感じているか、どんなふうに考えているかという、いわば「心のもちよう」を示すものです。制服の規則がなければ、どんな服を着ようと、それ自体は行動として正しくも悪くもありません。授業中、騒いでほかの生徒に迷惑をかけることは悪い行動です。ところが、制服の規則に違反することは、行動そのものには善悪の区別がつきません。むしろ、態度が良いか悪いかという点で、「問題あり」となるのです。

ここには、学校で行われる「教育」の特徴があらわれています。そのこと自体が正しいか間違っているか、善か悪かの判断ができないようなことでも、学校という場所では、教育という観点から見て、良い悪いの判断が行われる。それも、行動そのものよりも、態度――心のもちよう――といった面で判断される。このような判断が行われるのは、正しい態度（正しい心のもちよう）を育てることが、将来、よい大人になることにつながる、それが教育という仕事だと先生たちが考えているからです。

校則の根拠

「将来、よい大人になる」ために、中学生のときにどんな態度を身につけておけばよいのか。実は、大人たちの間でも、何が本当に大切なのか、よくわかっていません。明確な合意があるわけでもありません（だから、中学校によって校則が違ったり、指導のしかたが違ったりするのです）。

たしかに、時間を守るとか、人との約束を守るとか、うそをつかない、人に迷惑をかけない、といった基本的な社会のルールを身につけておくことは、大切なことです。こうした基本的なルールについては、なぜ守るべきなのか、一応根拠もはっきりしています。

ところが、髪形はこうでなければいけないとか、くつ下は白だけとか、制服やかばんは学校指定以外はだめとかいった規則は、大人の社会には見あたりません。大人の社会でも、どんな場面ではどんな服装をしたらよいかといったエチケットはあります。それでも、中学校のような細かな規則ではありません。

それに、中学生が大人になったとき、こういう校則があったから、こういう大人になったのだということが、はっきりとわかっているわけではありません。つまり、中学校では、そういった関係を調べたり確認したうえで、どういう校則が必要なのかを決めているわけではないのです。

むしろ、学校は、いったん規則ができると、それを変えるのがむずかしいところです。「これまで、これだけの校則があったから、生徒たちをうまくまとめることができた。それなのに校則を変えたら、どうなるか。それなら、このままでいこう」、そういった感じで適用される校則が少なくないのです。校則にはどんな根拠があるのか。厳密に考えなくても、校則はつくれるのです。

もし、あなたが将来、新設中学校の初代の校長になったときのことを想像してみてください。その学校のリーダーあるいは責任者として、どんな校則を提案するでしょうか。本物の校長になったつもりで、今ここで本をおいて考えてみてください。その場合、あなたの学校には、今のあなたのまわりの中学生のようないろいろな行動をとる生徒たちが三〇〇人も四〇〇人もいるのです。そして、何か事件が起きたり、問題が起きたときには、校長であるあなたが責任をとらなければならない。生徒の親たちが学校にどんなことを求めているのかもあわせて、どんな校則をつくるか、考えてごらんなさい。どんな校則のある学校にしますか。

このようなことを、想像してみると、なぜ、学校が校則をつくり、生徒に守らせようとするのか、生徒と違う立場から考えることができるでしょう。

力の関係

校則を生徒に守らせる一つの根拠は、生徒ができるだけ先生のいうことを聞くようにさせておくためです。前にも書きましたが、何十人、何百人の生徒たちを相手に、何かをしようとすれば、集団としてどれだけまとまりをつけられるかが重要になります。生徒たちが先生のいうことを聞いてくれなければ、学校のような集団生活の場は、混乱してしまいます。授業だってスムーズにできません。

集団としてのまとまりをつけるためには、先生という大人がある程度、力をもって、生徒たちを指導していくことが必要になります。だから、生徒たちが先生のいうことを聞いているかどうかが、先生たちにとって重要なポイントになるのです。

校則を守らせることは、こういう先生と生徒の力の関係を確認することになります。守るのがあたりまえだと思われるルールを守らない生徒を、先生が指導をする。そのとき、指導する先生の力の根拠は、「規則は守らなければならない」という校則の正しさをもとにしています。「そんな規則守らなくてもよいはずだ」と思われていれば、指導もうまくいきません。そうなれば、生徒たちは先生のいうことを聞かなくなってしまいます。それとは反対に、規則は守らなければならないという考えが生徒たちの間にあれば、生徒たちも先生のいうことを聞くでしょう(だからこそ、先生に反抗するつもりで違反する生徒も出てきます)。

校則を守るか守らないかということの背景には、このような先生と生徒との力の関係があるのです。先生が校則を守らせようとするのも、先生の側の力が強いことを示すため。そして、先生の力が強いことで、学校のまとまりがつく、と考えられているのです。

とはいえ、学校で先生たちは、校則についてそんなことは一言もいわないでしょう。なぜ校則を守らなければいけないのか、ということ自体、あまり話題にもならないでしょう。それほど、どうして校則があるのか、なぜ校則は守らなければならないのかについては、「あたりまえ」だと思われているわけです。

それでも、校則を守らなければならないのはなぜかと聞かれれば、たぶん、「それは君たちのためだよ」という答えが返ってきそうです。校則違反の生徒をしかるのも、「生徒のためを思って」です。「ここでバシッと注意しておかないと、将来どうなってしまうか」という心づかい（配慮）から、先生たちは生徒に校則を守らせるよう指導するのです。

教育とは、「将来のために」という考えをもとにしています。今の状態をよくすることは、将来のよいことにつながるはず、という考えが中心にあります。さらに教育には、「子どものために」というもうひとつの重要な考えがあります。そして、これらがあわさると、「将来のあなたのために」となるのです。

現在のことだけではなく、将来のことを思って指導をする。しかもそれは、生徒である「あなたたちのため」を思ってのことだ——これは、ある意味で大変なおせっかいです。態度（心のもちよう）が指導の対象になるのですから、どこまでやればよいのか、はっきりと範囲が決まるわけではありません。指導の方法もいろいろです。数学や英語を教えるのに比べれば、解釈の幅の広い問題です。それだけに、指導がいきすぎることも、反対に甘くなりすぎることも起きます。それもみんな「生徒たちの将来のため」を根拠にしているのです。

この心づかい（おせっかい）を、あなたは、どう受けとめますか。

第4章

教科書って何だろう

学校で教える知識

試験のとき、たいていは、先生が「教科書の三〇ページから六〇ページまでが期末試験の範囲です」などと試験の範囲を指定します。生徒たちは、その範囲内で学校で習ったところを中心に勉強するでしょう。そのとき、ノートの整理や問題集をやるのと並行して、教科書を読み直したり、教科書に出てくる例題や練習問題をやり直すのではないでしょうか。なかには、教科書を丸暗記する生徒もいるかもしれません。試験が終わった直後に、さっそく教科書を開いて、自分の答えがあったかどうかを確かめたことはないですか。

授業中に先生から「教科書をよく読みなさい」とか、先生から質問されて答えがわからないときに、「教科書を見直しておけ」などといわれた経験もあるかもしれません。

中学生にとって、教科書には勉強しなければならない知識がいっぱいつまっているように見えるかもしれません。でも、教科書には本当に「答え」が書いてあるのでしょうか。

いつも持ち歩いて、何度も開いてみるけれど、それほど親しみを感じるわけではない。中学生にとって、教科書とはそういう本なのかもしれません。けれども、身近な存在であるだけに、教科書について、改めて考えてみたことも、ちょっと距離をおいてながめたこともないのではないでしょうか。教科書に書かれていることは、授業で扱う勉強しなければならない知識である、といった「あたりまえ」の見方をしている人も少なくないでしょう。

教科書は、他の本とはどのように違うのでしょうか。教科書に書かれていることがらは、どのように決まるのか。ここでは、教科書をテーマに、学校で教えられる知識について考えてみたいと思います。

教科書にのる知識とは？

中学生のあなたはいろいろなことを知っています。サッカーの好きな人だったら、Jリーグのチーム名やワールドカップの日本代表選手の名前に詳しい人もいるでしょう。テレビゲームの得意な人だったら、ゲームの裏技《うらわざ》をいっぱい知っているでしょう。花の名前やアイドルの名前をたくさん知っている人もいるはずです。

このようなさまざまな種類の知識の中には、学校で教わったものもあるでしょう。学校以外で、テレビや雑誌から仕入れたり、友だちや家族から聞いたりした知識もあるでしょう。私たちはたくさんの種類の知識や情報に囲まれて生きています。教科書から得る知識は、こうしたさまざまな知識や情報のうちの一部にすぎません。

いろいろな知識や情報の中で、どれについては学校で教えたほうがいいのか。どれは、教えなくていいのか。学校で教える知識にしても、どこまでは教科書にのせて、どれはのせなくていいのか。だれかが、こういうことを決めておかなければ、中学校の教科書もできません。こうやって、いろいろな知識や情報について考えてみると、教科書は、どこかで、だれかが、どんな知識を教科書にのせるべきかを決めた結果、できていることに気がつくでしょう。そうやって選ばれた知識が、教科書の知識だということになります。別のいいかたをすれば、中学校で、どの生徒にも教えるべきだとして、だれかが決めて選び出した知識だけが、教科書にのっているのです。

日本では文部科学省が、「学習指導要領」というものを定めています。学習指導要領とは、小学校から高校まで、それぞれの学年で、教科ごとにどのような内容の知識を教えたらよいのかを決めたルールです。

これまではだいたい一〇年に一度くらいの間隔で、大学の先生や中学校の先生を中心に、その他いろいろな分野の専門家が集まって、中学生にはどんなことを教えたらいいのかを、教科ごとに話し合ってきました。さらには、どれくらいの時間をかけて、何年生にはどんなことを教えるかについて、教える内容を決めていくのです。こうやってつくられた学習指導要領というものは、法律のように、中学校で教えるべき知識を決めています。公立の中学校でも、私立でも、北海道でも、沖縄でも、日本の中学校だったら、こうして決められた学習指導要領にしたがって、教育をしなければならないという決まりになっているのです。

具体的には、教科書会社が教科書をつくる場合に、この指導要領で定めた内容を盛り込むことになっています。ためしに、自分の教科書を一冊手にとって、裏表紙を見てごらんなさい。どんな人がその教科書をつくったのか、編集したのはだれか、名前が書いてあるはずです。たいていは、大学の先生たちを中心メンバーに、中学校の先生などが加わって、学習指導要領の一つ一つの項目を参考に、教科書の文章を書いていきます。そして、書いたものを、文部科学省に渡して、その内容が学習指導要領で定めた内容と一致しているかどうかをチェックしてもらいます。このようなチェックは、「教科書検定」と呼ばれています。このチェックで問題なしという認定を受けないと、教科書として使えないのです。つまり、学習指導要領というルールを守らない教科書は、教科書として使うことはできないのです。

もう一度、教科書の裏表紙を見てください。どの教科の教科書でも、どこかにきっと「文部科学省検定済」と書いてあるはずです。その教科書に書かれている内容が、学習指導要領にのっとっており、文部科学省のチェックに合格したものであることの証明です。でも、どうして文部科学省＝国が、教える内容を決め、しかもチェックまでするのでしょうか。

学校で教える知識の決め方

学校で教える知識をどのようにして選び出すか。小学校に入って以来、あなたは学校での勉強の内容を「習う」側からしか考えたことがないかもしれません。でも、自分が教える側に立ったとしたら、何を、どのように、どんな順番で、教えるか。ちょっと想像してみてください。中学生を相手に「何」を教えたらよいのかを、自分のよく知っている教科や教科書のことをいったん忘れて、考えてみることができるでしょうか。

もし、新しい教科の区切り方や教える内容について、なかなか思いつかないとしたら、それは、それだけこれまでに受けてきた学校での勉強のしかた、教科の区切りにとらわれている証拠です。ですが、教える内容をどのように選んで、どのように組み合わせるのか、さらにはそこにどのような名前をつけるのかについても、実は、いろいろな方法ややり方があるのです。

一つの方法は、それぞれの先生が、自分で教材をつくって、自分で教える内容を決めるというやり方です。教科の名前だって、国語、数学、英語、理科といった呼び方をやめて、今日は「水」について勉強しますといって、数学や理科や社会や国語や英語、さらには美術や音楽といったいろいろな領域にまたがって、「水」のことを勉強するかもしれません。水の量や重さをはかったり、水の性質を調べたりするのは数学や理科の勉強になるでしょう。水道の水がどうやってそれぞれの家にくるのかを調べていくことは、公民の勉強になるでしょう。昔の人が水をめぐってどんな争いをしたり、水を使う工夫《くふう》をしたのかを調べていけば歴史の勉強になります。さらには、水の流れる音を聞き分けたり、水に関係する音楽を聞いたりすれば、音楽の勉強ですし、水（海や川、湖など）をテーマとした小説や詩を鑑賞すれば、国語の勉強にもなります。

もちろん、「水」だけではなく、同じように、「空」とか「土」「人間」「動物」、あるいは「テレビ」や「電話」をテーマに、それに関係する知識を、これまでの教科の区別にかかわりなく勉強していくこともできるのです。もし、こういう授業の組み立てをする先生がいたとしたら、あなたの時間割には、数学、国語などの教科の名前の代わりに、「水」とか「土」とかいう名前が並んでいるかもしれません。そして、何人かの先生が、それぞれ得意の専門分野に応じて一つのテーマをめぐって、分担して教えるというようなこともありえるでしょう。

こういったやり方の場合、テーマの決め方も、学ぶ内容も、自由に決めることになるでしょう。ある先生の場合には、教科の区切り方は、数学、国語、体育など、今の日本の中学校と同じような区切り方をするかもしれません。それでも、数学の時間を他のクラスより多くしたり、体育を集中的に春や秋にやって、夏や冬には体育はなし、というやり方をする先生もいるかもしれません。いずれにしても、先生ごとに教える内容や教える時間、順番などを自由に決められるという教え方、教材のつくり方だってありうるのです。

この場合、先生が違うと、教える内容だって、まったく違ってくるでしょう。つまり、あなたのクラスととなりのクラスとでは、違う内容が教えられるのかもしれません。

もうひとつの方法は、先生一人ずつというのではなくて、学校や地域ごとに、ある程度のまとまりをもってどんなことを教えるのかを決めていく場合です。この場合、同じ学校の生徒は同じような教科を同じ教科書を使って勉強するでしょう。学校というまとまりの中で、何を教えるのかを先生方が相談して決めるのです。同じ学校に通っていれば、クラスが違っても、学年さえ同じであれば同じことを勉強することになるでしょう。

そのかわり、A中学校とB中学校とでは、違うことが教えられるかもしれません。地域のようにもっと広いまとまりであれば、C市内の中学校とD市内の中学校とでは教えられることがらが違うといった場合もありうるでしょう。どちらの場合でも、学校や地域によって、教科のくくり方が違うかもしれませんし、何年生までにどれだけ勉強するのかといった知識の量も違うかもしれません。

これら二つの方法に対して、今の日本の学校で行われているのは、どの地域の、どの学校でも、中学卒業までは基本的にはみんな同じことを勉強するという、国という大きな単位＝まとまりで、教える知識を決めるやり方です。二〇〇二年から始まった「総合的な学習の時間」や中学校での選択科目など、学習ごとに違う内容も教えられるようになりました。それでも基本的には共通の教える内容を決めているというのが、日本の学校のしくみです。

これは日本のやり方ですが、外国の例を見ると、国によっては第一の方法に近い国や、第二の方法に近い国もあります。つまり、どのような知識を学校で教えるべきかを決めるやり方には、いろいろなタイプがあり、これこそが絶対に一番だという方法はないということです。

先生による違い

それでは、その中でも、日本のように国家が中心となって決める方法には、どのような特徴があるのか。次に、そのことを考えてみましょう。

まず、どのようなことを学校で勉強するかについて、なにも規制やルールがない極端な場合を考えてみましょう。それぞれの先生が独自に工夫をして教材をつくる場合です。極端なケースとしては、教科のくくり方が先生ごとに違ってくる場合も考えられるでしょう。数学と理科をいっしょにして「理数」という教科をつくって教える先生もいるかもしれません。体育と音楽をいっしょにして「ダンス」という名前で教える先生がいるかもしれません。また、前に書いたように、「水」や「土」といったテーマで時間割をつくる先生が出てくるかもしれません。

このような学校ができたら、どうなると思いますか。今の制度とは違っているからといって、否定的な判断をする必要はありません。先生方はたぶん、教材づくりに今の何倍も忙しくなるでしょう。「水」なら水に関して、どんな内容の知識を組み合わせて教えたら生徒たちが興味をもってくれるか。そのための知識を選ぶにしても、先生たち自身がいろいろな本をもとに勉強して、教材をつくらなければならなくなるでしょう。その分、熱意をもって授業に取り組む先生が出てくるかもしれません。個々の生徒の学力にあわせて、何を教えるべきかを考え、工夫してくれる先生が今よりも増えるかもしれません。

あるいは逆に、先生が勉強不足だったり、それほど熱心でなかったりしたら、どんな内容の知識を教えることになるのか。先生方が自分だけの判断で教える内容を決めるようになったら、反対になまけてしまう先生が出てこないともかぎりません。

そうだとすれば、生徒にとって、どんな先生が教えるのかは、大変気になることでしょう。しっかりと教える内容を考えてくれる先生ならばいいのですが、いいかげんに教材をつくる先生に当たったら、どんなことを学べるのか。どの先生に教わるかによって、学校を卒業するまでに身につける知識の中身も違ってくるのです。それから、転校をしたり、同じ学校でも進級して先生が替わる場合には、それまで学んだことが次に学ぶこととどのようにつながるのか、心配になる生徒が出てくるでしょう。

どれくらいのペースで、どれだけのことを勉強するのか。その基準がまったくない場合には、学年ごとに教える内容も先生によって違ってくるでしょう。いや、場合によっては、今のように学年ごとに教える内容を変えることさえやめて、それぞれの生徒の進度にあわせて教材をつくる先生が出てくるかもしれません。教える内容が個々の先生によって自由に決められるようになると、今の学校の基本的なしくみ全体が違ってくるのです。

ということは、別の見方をすれば、今の学校の基本的なしくみは、今ある教科の区別や教科書のスタイルをもとにしてできあがっているということでもあるのです。どのクラスでも同じように同じような内容を同じ時間勉強するということを基本に、今の学校のしくみができあがっているのです。

地域ごとの教育

さて、それでは、学校で教える内容を、学校ごとに、ないしは地域ごとにある程度決めたらどうなるでしょうか。もちろん、この場合にも、教える内容について、どの程度細かく決めるのかによって、事態は変わってきます。それでも、ひとりひとりの先生の自由にまかされる場合よりは、教える内容の共通性は高まるでしょう。

このような場合、地域の先生方が集まって、その土地の子どもたちにどのようなことを教えるべきかを相談することになるのでしょう。

その結果、教える内容にもっと地域の特徴を取り入れることになるかもしれません。工業地帯にある学校と、商業地域の学校と、農村にある学校とで、教える内容を違ったものにすることもあるでしょう。日本の北と南、東と西でも、教える内容が違ってくるかもしれません。それから、それぞれの地域ごとに、学校を出た後の生徒たちの進路の選び方が違っていれば、それにあわせた内容をもっと授業に組み込むことになるかもしれません。

こうして、住んでいる地域ごとに、ある程度のまとまりをもちながら、学校で教える内容が違ってくるのです。国語の勉強だって、地域の言葉を中心に勉強することも可能です。方言の勉強に力を入れる学校や地域が出てきたっておかしくないのです。歴史にしても、日本という国の歴史を中心に勉強するのではなく、自分たちの住んでいる地域の歴史をもっと勉強することだってあるでしょう。理科の勉強でも、気候や植物、動物についての知識は、自分たちの身のまわりの自然を中心に勉強することもできます。外国語だって、アジア系の人たちが多い地域だったら、英語のかわりに中国語や韓国語を中学校で勉強するという選択もありうるのです。

こうやって、地域ごとに教える内容が違ってくると、どの地域に生まれたかによって、中学校卒業までに習う勉強の内容も違ってきます。数学や理科の勉強を重視する地域があるかと思えば、英語や国語に力を入れる地域が出てくるかもしれません。同じ、日本という国に育っても、もっている知識の内容が、地域ごとに違ってくることになるのです。

「でも、もし遠くの地域に引っ越したら、どうなるのだろう」と疑問をもった人がいるかもしれません。「地域ごとに教える内容が違ったら、将来、他の地域にある大学を受験するときに不利にならないのかしら」と不安になった人もいるでしょう。それに、同じ日本人なのに、違う内容を教えるのはよくないことではないのか、と疑問をもった人もいるかもしれません。ただ、こうした疑問は、学校の今の状態がまったく変わらないまま、教科書のつくり方だけが変わったらどうなるか、というように、全体が変わらないのに一部分だけ違うことが起きたらどうなるかを想像したときに思い浮かぶ不都合なのではないでしょうか。

そうではなくて、「教育の目標」のような大きなものごとが、そっくり変わったとしたらどうでしょう。たとえば、中学校までは、それぞれの地域のことをしっかり勉強すればそれで十分というように、教育の全体的な方針が変わってしまえば、こうした不都合は、いっこうに問題にならないことになるのかもしれません。

受験の問題はここではひとまずおいて、今どうして地域ごとに違っていたらいけないことになっているのかを考えてみましょう。たしかに、学校を変わったりしたときに、転校生が困らないように、教える内容をいっしょにしておこうというのは、一つの考え方です。しかし、それだけが、国が教える内容を定めておく理由なのでしょうか。地域ごとに教える内容を変えてもいい、という考え方は、日本以外の国ではめずらしいことではありません。そういう国にだって転校生はいるはず。そうだとすると、どうして、教える内容を国が決めるのか、ほかの理由がありそうです。

ナショナル・カリキュラム

国全体として学校ではどのような内容の知識を教えるのか。地域やそれぞれの学校の自由にまかせるのではなく、国の機関がその決定にあたる。このように国として学校で教える内容を決めたものを英語では「ナショナル・カリキュラム」といいます。「ナショナル」という単語は「国の」という意味です。そして、「カリキュラム」は、学校でどのような内容の知識を教えるのかを体系づけたもの、と理解すればよいでしょう。数学、理科、社会、国語というように、学校で教える内容をどのような教科に分けるのかを決めているのも、このカリキュラムです。また、数学を何時間、国語や理科を何時間教えたらよいかということについても、このカリキュラムによって決められることになります。さらに、それぞれの教科の中身として、どのような知識をどれだけ教えるのかを定めているのも、カリキュラムです。そのカリキュラムを国として定めたもの、それがナショナル・カリキュラムなのです。

ここで、わざわざこのような英語を持ち出したのは、なにも話をむずかしくするためではありません。この問題が、日本だけではなく、国際的な問題として議論されていることを示したかったからです。

とくに一九八〇年代に入ってから、ナショナル・カリキュラムをつくろうという動きが、世界のいくつかの国々で新しい問題として出てきました。日本だけの問題ではなく、おおげさにいえば世界の問題として、これまでナショナル・カリキュラムをもっていなかった国を含めて、学校で教える内容を国が決めたらどうかということが議論されるようになったのです。実際に、この考え方を取り入れたイギリスのような国もありますし、議論はなされたけれど、導入はしなかったアメリカのような例もあります。

経済の国際競争と教育

一九八〇年代のことです。そのころ、他の国々に比べて日本の経済はとても好調でした。日本製の自動車や電気製品が、品質もよく値段も安いということで、世界中にたくさん売られていくようになったころです。アジアの小さな国が、世界でもトップレベルの工業力をもつようになったのです。

たとえば、日本の自動車メーカーが、それまで世界の自動車産業のトップの座にあったビッグスリー（GM、フォード、クライスラー）と呼ばれるアメリカのメーカーを追い抜いたのも、このころでした。反対に、アメリカやイギリスでは、日本との競争にやぶれて、工場を閉鎖したり、工場で働く人たちをクビにする必要さえ出たのです。日本の貿易黒字（簡単にいえば外国にものを売ってもうけたお金と外国からものを買ったお金の差額）が大きすぎることが国際的な大問題になったのも、このころでした。

どうして日本の工業はそんなに強いのか。日本の経済が好調な理由は何か。それぞれの国で、日本の強さの秘密を探ろうという試みが行われました。独特な日本の会社経営のしかたを、「日本的経営」と名づけ、注目したり、通産省（今の経済産業省）などの行政の指導がうまくいっていることに目をつけて、官と民が一体となった「日本株式会社」の成功の秘訣《ひけつ》を探ろうとしたりしたのです。

このような中で、日本の教育も注目を集め始めました。日本の工業力が強いのは、働く人びとの能力がすぐれているからだ。その理由は、日本人の知的な能力が高いことによる。そうだとすれば、日本の学校がそういうすぐれた人材を育てているからだろう、ということになったのです。たしかに、数学や理科のテストをいろいろな国の小学生、中学生に受けさせて比べてみると、欧米の人たちを驚かせる結果が出ました。日本の子どもたちの成績が欧米諸国をおさえてトップレベルにあり、しかも平均点が高いだけではなく、できる子からできない子までのばらつきも小さかったのです。こういう日本の教育の優秀さが注目されたのも一九八〇年代のころです。

日本の教育のすぐれているところは何か、自分たちの国の教育と比べて、どこが違うのか。それを知ろうと、当時のアメリカのレーガン大統領やイギリスのサッチャー首相などが、日本の総理大臣（中曽根首相）との会談のなかで、教育の問題を取り上げたりしたくらいです。

一九八〇年代の半ばごろでしょうか。ある日、アメリカの新聞の一面に、大きな見出しで、日本の教育がどんなにすぐれているのかを知らせる記事がのっていました。当時アメリカに留学していた私は、アメリカ人の友だちや大学の先生から、日本の教育はどうなっているのかと、よく質問されたりもしました。

日本では受験をめざして子どもたちがさかんに勉強する。そのころは毎週土曜日も学校に行くので一年間に受ける授業時間数も多かった。学校の先生たちの給料も高いことから、すぐれた先生が多く、生徒からも尊敬されている、などなど、いろいろなことに目が向けられました。その中でも注目を集めたのは、日本の学校ではどこでも同じ内容が教えられている、というカリキュラム――より正確にいえば、国が定めたナショナル・カリキュラムでした。

どの地域に住んでいても、何年生までにはどこまでの知識を学習しなければならないかが、全国一律に決められている。しかも、教えている知識のレベル自体がとても高い、ということが、日本の教育がすぐれている理由の一つとして着目されたのです。

ばらつきの少ない教育

どの地域のどの学校に通おうと、同じ学年なら同じような内容の知識が教えられる。国という大きな範囲で学校で教える知識の内容を細かく決めていれば、たしかに、生徒たちの学力のばらつきは小さくなるでしょう。ある学校では教えているのに、別の学校では教えていないといったことが起こらないからです。

長い間ナショナル・カリキュラムをもった日本でなら、こんなことはあたりまえのことで、とくに不思議ではありませんでした。ところが、たとえばイギリスでは、一九八八年以前は、学校で教える知識は、それぞれの地域や学校が決めていました。その結果、地域や学校ごとに、生徒の学力に大きな格差が生じていて、学力のばらつきがとても大きいことが問題とされていました。

たしかに、工場などで人を雇《やと》うとき、高校を卒業した人ならだれでも、どの程度の知識を共通にもっているのか、そのばらつきが小さければ効率的です。仕事をするうえで、改めてどんなことを覚えてもらうのかを決めるときに、だれにでも同じような内容を教えればよいというのであれば、それだけ効率的です。反対に、それぞれがばらばらの知識しかもっていなければ、ひとりひとりに違ったことを教え直さなければならなくなるでしょう。つまり、働く人びとの能力が高く、質がそろっていれば、それだけ工場などでは効率よく仕事ができると考えられたのです。

イギリスでは日本などを見習いながら、ナショナル・カリキュラムをつくろうということになりました。競争力を失いつつあるイギリスの産業界を建て直すためには、各学校の自由にまかせて教育を行っていたのでは効率的ではない。世界の経済競争に追いついていくためには、どの学校でも国のレベルで決めた知識を教えるようにしなければならない。そういう考えから一九八八年以後、ナショナル・カリキュラムが導入されることになったのです。それは、自由の国、イギリスの伝統からすれば画期《かっき》的なできごとでした。

画一教育とナショナル・カリキュラム

ところが最近の日本では、こういった効率重視のやり方に、批判が出始めていることもたしかです。「画一《かくいつ》教育」といった言葉を聞いたことがありますか。教える内容を画一的に決めることが、子どもたちの個性や創造性を育てるうえでマイナスになっている。もっと、生徒に学ぶ自由を与えたほうがよいとか、先生たちにも教えるうえでの創意《そうい》工夫《くふう》の余地を増やしたほうがよい、といった議論が行われるようになっています。文部科学省の教育改革案にも、画一的な教育を減らしていこうという考えが含まれています。学校で教える内容にもっと選択の幅をもたせようというのです。

こうした最近の日本の動きは、イギリスとは反対の方向を向いているように見えます。イギリスがもっと画一的な教育にしようという方向に踏み出したのに対し、日本はそれとは反対の方向に向かおうとしているからです。

実は、このような日本の動きにも、世界の他の国々との競争の影響があらわれています。今までのように、たくさんの製品をできるだけ安くつくればよいという時代には、できるだけ同じような能力をもった人びとに働いてもらうことが有利な条件でした。ところが、日本人の給料が他の国と比べて高くなってしまうと、もっと安く人を雇える外国（たとえば中国です）に工場を移す企業が増えました。産業の中心も、モノ作りからコンピュータのソフトをはじめとする情報産業など、アイデア勝負の分野に移ろうとしています。

こういう時代には、いいアイデアを出せる創造力が大切となります。人と違うユニークなアイデアを出せるかどうか。だれでも同じように教育するというやり方では、こういう新しい時代に追いついていけないのではないか、という考えが出てきたのです。

中学生のあなたは、そういう目で自分の受けている教育を見たことがないかもしれません。勉強しなければならない決まった範囲の「知識」や「真実」や「技術」というものが、学校の外側の、たとえば経済や産業からの影響を受けているとは思えないかもしれません。けれども実際には、どんな知識を学校で教えたらいいのかを考え、決めている人たちは、こういう問題にも注意をはらって、学校のカリキュラムを決めているのです。

たとえば、子どもたちの数学や理科の力が落ちると、日本の技術力も落ちやしないかと心配して、数学や理科の授業時間数をなるべく減らさないようにと主張する専門家がたくさんいます。これからの時代は、コンピュータの使い方を知らなければいい仕事ができない。そう考えている人がいるから、学校でも、コンピュータの教育をもっと増やそうということにもなるのです。

こうやって、日本という国がほかの国との競争に負けないようにと考えて、どんな内容の知識を教育にもりこんだらいいのか、議論している専門家がたくさんいるのです。そして、その結果、実際に、こういう意見が取り入れられて、教科書の内容が変わっていったこともあったのです。

このように、学校で何を教えるべきかについては、いろいろな考え方をもった人がいます。日本は資源の少ない国だから、教育を通じて科学や技術に強い人材を養成すべきだ。こう考える人は、数学や理科をもっと教えるべきだと主張するかもしれません。これからの日本はますます国際化する。だから、もっと外国語を教えるべきだという意見の人もいるでしょう。子どもたちがもっと自分の国のことを大切に思うように、日本の歴史や文化のよい面をたくさん教えたほうがよいと考える人もいます。アジアの他の国と仲よくするためには、日本が戦争中に犯したあやまちをきちんと反省できる、そういう教育をしたほうがよいという人もいます。

ところが、学校の授業時間には限りがあります。その中で何をどれだけ教えたらよいのか。いろいろな考え方をする人たちの違いをどのように調整していくのか。学校で教える知識をめぐって、いろいろな人の意見をどのように取り入れていくのか。それによって、教科書の中身も違ってくるのです。

教科書の知識は役に立つのか

でも、中学生の感覚を想像すると、「いくら教科書の知識だって、試験が終われば忘れてしまう」「授業でだってそんなに真剣に聞いていない」という人が案外多いのではないでしょうか。たしかに、教科書に書かれた一つ一つの知識を覚えても、それぞれの知識がずっと頭のなかに残るかどうか疑問です。

ためしに、まわりの大人たちに、あなたが今習っている歴史や地理などの問題を出してごらんなさい。お父さんやお母さんが、中学時代に勉強したことをどれだけ覚えているか。きっと、サウジアラビアの首都がどこかも、南北戦争がいつ始まったのかも、数学の三角形の合同条件も、忘れてしまっているでしょう。

それでは、大人になって忘れてしまうような知識は、最初からまったく勉強しなくてもいいものなのか。今度は、まわりの大人に、勉強したことで知識以外に何が残っているのかを聞いてみてごらんなさい。たぶん、細かな知識は忘れてしまっても、何かが残っているはずだという答えが返ってくるのではないでしょうか。

その「何か」は、人によって違うと思います。私ならどう答えるか。私も、中学校で習った細かい知識はだいぶ忘れてしまいました。それでも、たとえば、理科の勉強なら、「いろいろな生き物がそれぞれの環境に応じて、どうやって生きのびようとしているのか、そういう環境と生き物との間に複雑な関係があるということだけは、覚えている」とか、「自分の感情とは別に、自分のまわりの自然や世界をできるだけ冷静に観察したりするものの見方があることがわかった」と答えるでしょう。数学だったら（いくつかの公式はもう忘れてしまいましたが）、「同じ条件で理屈をちゃんと積み重ねていけば、だれでも同じ答えにたどり着ける、そういう論理の筋道があることはわかった」と答えるかもしれません。

こういう答え方は、一つ一つの知識が、具体的な場面でどう役に立つのかということとは、別のことをさしています。英語の a と the の区別についての知識が、大人になって英語で仕事をするようなときに役立ったというのとは違った、知識の役立て方があることを示しているのです。しかも、こういう答え方は、いろいろな経験の中で、自分なりのものの見方や考え方をつくりあげていくときに、一つ一つの知識としてではなく、いろいろな知識のつながりとして、「あのとき勉強したことにも、今からふり返れば、こんな意味があったのかな」と思い出せるようなものなのです。

ところが、正直にいえば、中学生のときには私も、こんなふうには考えませんでした。教科書に書かれた知識は、ともかく勉強しなければいけない知識だと思っていました。教科書に書かれたことが、覚えるに値する知識のかたまりだと思っていたのです。

たぶん、このように教科書の知識を見てしまうのは、どれだけ勉強したのかをはかるためのテストという技術の未熟さによるのだと思います。知識をどれだけ覚えたかを確認するテストは、簡単につくれます。しかも、どれだけ正しく覚えたかを採点するのも簡単です。正しく覚えたかどうかをテストする場合には、正解がそれぞれ一つしかないのですから。したがって、だれに対しても同じ条件で成績をつけることができるのです。このように便利なために、学校では、知識の量を問うテストが増えていくのです。教える側にとっても、「これは試験に出るから覚えておきなさい」というのは簡単です。教えるのも楽、採点するのも楽となれば、「まずは、覚えておきなさい」式の教育が増えていくのは不思議ではありません。

でも、大人になるにしたがって、教科書に書かれたばらばらの知識は、それだけではなかなか意味をもちにくいことがだんだんわかってくるでしょう。同時に、学校で勉強した知識が、将来なんらかの力を発揮するかどうかは、他のさまざまな知識や経験とどのように結びつくかにかかっている、ということにも気づくようになるでしょう。それぞれの人がもっている他の知識や経験とあわさったときに、学校で学んだことが、その人なりの意味をもってくるのです。そう考えると、教科書に書かれた知識そのものよりも、学校で習わない知識を含めて、あなたがどんな知識をもっているか、どんな経験をしてきたか、さらには将来どんな経験をするかといったことが、教科書の知識の意味を引き立てるうえで重要になってくるといえるのではないでしょうか。

ただ、こういうことは、勉強のまっただ中にある中学生のときには、なかなかわかりにくいものです。もしかしたら、大人になっても、なぜ、あんなことを勉強したのか、わからないままかもしれません。そして、本当に意味のない勉強をしていたにすぎない、ということだってありえるのです。

だれもが納得できる形で、教科書に書かれた知識がどう役立つのかを説明することはむずかしいことです。それでもなぜ、だれもが学校で勉強するのか。その答えの一つは、教科書が教えない、もうひとつの知識、次の章のテーマである「隠れたカリキュラム」ということと関係しています。

第5章

隠れたカリキュラム

教科書以外の知識

前章では、教科書の話をしました。話の最後のところで、私たちは教科書以外からもいろいろな知識を受け取って生きていること、そうした知識には、いろいろなものがあることに触れました。ですが、ちょっと考えてみればわかるように、学校での生活を通じて、あなたも教科書に書かれた知識以外のいろいろな知識を身につけているはずです。さらにいえば、教科書にしても、そこに書かれている知識そのものを学ぶこととならんで、知らず知らずのうちに、それ以外の知識を身につけるということもあるのです。

いったい、学校ではどんなことを勉強しているのか。生徒たちが学んでいるのは、教科としてまとめられているような知識（教科書に書かれた知識）だけなのか。学校という場所は、子どもたちに何を教えようとしているのか。

こういった問題は、「隠れたカリキュラム」ということと関係しています。あまり聞き慣れない言葉ですね。それが何かは、これからくわしくお話ししていきます。ここでは簡単に説明しておきましょう。

カリキュラムという言葉は、教科書の話の中ですでに登場しました。簡単にいえば、時間割の表のように、学校で教える知識を、それぞれどのような教科として区別し、まとめ、それぞれをどれだけの時間教えるのかを決めたものです。学校で教えられる知識を体系づけたもの、といってよいでしょう。どんな知識をどんな順番で、どれだけ教えるか。それぞれの知識（数学の方程式とか理科の針葉樹とか歴史の幕府についてとか）について、教える順番や量を決めたものです。

これらはみな、どういう知識を教えるべきかについて、あらかじめいろいろな人たちが議論をして決めたものです。ですから、「隠れた」カリキュラムではありません。むしろ、目に見えるカリキュラムといっていいでしょう。それでは、隠れたカリキュラムとはいったい何でしょうか。

授業中に何を習うのか

キーンコーン、カーンコーン。授業の始まりを告げるチャイムが鳴ると、あなたはどうしますか。休み時間が終わったからと、自分の席に着く。次の授業の教科書とノートを机の上に出す。それまで後ろを向いて友だちとおしゃべりをしていたのをやめて、そろそろ先生がくるころだぞと、前を向く、などなど。

もちろん、チャイムと同時に、クラスの全員が整然と着席して前を向いているかというと、すぐにそうならないクラスもあるでしょう。それでも、先生が教室に入ってきたら、次はどうなるでしょうか。

日直などの係の人が、「起立、礼、着席」と号令をかけ、先生にあいさつをする学校もあるでしょう。全員が、ぴちっとあいさつをするかどうかは別として、生徒たちがそろって立ち上がり、おじぎをして、またすわる。一連の動作をいっせいにしたりします。

さあ、そして次はいよいよ授業の始まりです。数学の授業であれ、国語であれ、英語や理科であれ、実験とか、グループでの相談や作業の時間をのぞけば、たいていは何をしているでしょうか。先生が黒板に何かを書いて説明すれば、それをノートに書き写す。先生が説明しているときには、その説明を聞く。ほかの生徒が先生の質問に答えていれば、やはりそれも聞いている。

そして、再び、今度は終業のチャイムが鳴ります。また、だれかが「起立……」と号令をかけて授業が終わる。そのときも、生徒たちがいっせいに動作をすることになります。

こうして、休み時間をはさんで、また次の授業が始まる。学校での毎日は、だいたいこんなふうにすぎていくのではないでしょうか。

ここに示した毎日の学校での生活を通じて、生徒たちは何を学んでいるのか。何を身につけているのか。数学や英語などの教科以外の「隠れたカリキュラム」は、こういう、なにげない日常の生活にひそんでいるのです。

時間を守る

まず、チャイムが鳴ると席に着く。これが自然に行えるのは、何が身についているからでしょうか。そう、時間の厳守です。遅刻が学校ではいけないことになっているのも、時間を守るという社会生活の基本的なルールを身につけることにつながっています。時間がきても、席に着かずにぶらぶらしていたら、先生から注意されます。もちろん、先生にとっては、ちゃんと授業を行うために、生徒全員を席に着かせることが大事です。これは、はっきりとした（目に見える）目的といえるでしょう。

と同時に、それぞれの先生が、時間を守るというルールをはっきりと教えようとしているかどうか、その意図とは別に、「授業が始まったら席に着け」と注意することは、結果として、生徒たちに時間厳守のルールを教えていることになります。

前にも書きましたが、現代の日本社会は、農耕や狩猟中心の社会とは違い、日の出・日の入りや潮《しお》の満《み》ち干《ひ》といった自然の時間ではなく、時計で測られる人工的な時間が、生活や仕事の基準となっています。ものをつくるにしても売るにしても、サービスを提供するにしても、いろいろな人が協力して行う仕事が増えれば増えるほど、仕事を効率的に行うために、時間をそろえて行動することが大切になります。時間を守ることがそれだけ、大切なルールとなってくるのです。大人になるまでに、時間を守ることをきちんと身につける。チャイムを合図に授業が始まり、終わる。そのことを通じて、学校はくりかえし生徒たちに時間厳守のルールを教えているのです。

がまんする

授業によってはあまり興味をもてずに、退屈になってしまうことはありませんか。自分の関心のない内容や、ときには先生の話があまり面白くなくて、早くその授業が終わらないかと、チャイムが鳴るのを心待ちにしている。そんな時間もたまにはあるでしょう。

でも、そんなときでも、いやだからといって自分だけ教室から出ていくわけにはいきません。退屈しのぎに好きなマンガを読んだり、友だちとおしゃべりすることもできません。ほんの一瞬、ウトウトすることはあっても、机につっぷしていねむりするわけにもいかないでしょう。たとえ、授業を真剣に聞く気がなくても、じっとがまんなのです。

小学校に入りたてのころを思い出してみてください。授業中、本当に集中できたのは、最初の一〇分くらいだったのではなかったでしょうか。なかには、あきてしまって教室の中をうろうろしていたクラスメートがいたかもしれません。それが、だんだん学年が上がるにつれて、どうにか授業中はじっとすわっていられるようになりました。このことは、たんに、集中力がついて、勉強することができるようになったというだけではありません。

こんなときに、生徒たちは何を学んでいるのか。その退屈な授業が、数学であれ、英語であれ、それぞれの教科の知識とは別に、もう一つ大切なことを学んでいます。本当は自分のしたくないことでも、じっとがまんすること。耐えること。つまり、忍耐力を身につけているのです。

大人の社会では、たとえ自分の気に入らないことでも、仕事である以上、がまんしたり、耐えしのんだりする場面が少なくありません。「こんなことをして、いったいどんな意味があるのだろう」と思うことだって、場合によっては、じっとこらえて、しのぐことがあるのです。気の合わない人と長い時間話をしなければならないこともあるでしょう。でも、それも仕事。ある程度のつきあいが必要になります。興味のもてない授業を五〇分間もじっとだまってすわって聞いている、そのこと自体が忍耐力をつける訓練になっているのです。

コミュニケーションのしかた

休み時間。あなたの学校では、教室の様子はどんなふうでしょうか。わいわい、がやがや、友だち同士の楽しいおしゃべり。こちらでは、女の子のグループがキムタク主演のテレビドラマの話をしています。あちらでは、男の子たちが、昨日《きのう》のサッカーの試合の話をしている。そのとなりは、新しく出たCDの話をしている男の子と女の子のグループ。話に加わっていない人には、どこで、だれが、何の話をしているのか、聞き分けることができないほど、みんな楽しそうに、自分たちのペースでおしゃべりをしています。

ところが、チャイムが鳴って授業が始まるとどうなるか。たいていの授業では、授業中一番多く話をするのは先生です。そして、先生がだれかを指名して質問すると、ほかの生徒は、その答えを静かに聞きます。だれが話し、だれが聞くのか。話をする順番はどうか。休み時間のときとは大違いです。

授業中、先生が話をしているときには、その話を聞く。先生から指名されたら、話をする。話のやりとりについて、こうしたルールが守られているのが授業の場面です。

話をしたり、聞いたりというのは、自分たちの言いたいことを交換しあう「コミュニケーション」の一種です。コミュニケーションのしかたには、場面場面によって、いろいろなルールがあります。だれかが大切な話をしているときには、静かに聞くというのも、ルールの一つ。だれが次に話をするか、その順番をきちんと守るのもルールです。

幼稚園に入りたての子どもであれば、先生が話をしていても、おかまいなしに友だちとおしゃべりを続けているでしょう。ところが、小学二、三年生くらいになれば、たいていの生徒は、このようなコミュニケーションのルールを身につけています。社会に出てからも必要となるコミュニケーションのルール。それもまた、知らず知らずのうちに学校で学んでいることなのです。

学校と隠れたカリキュラム

このように知らず知らずのうちに、学校生活を通じて学ぶことがら。それが「隠れたカリキュラム」です。

わざわざ「隠れた」と呼ぶのは、時間を守るというルールであれ、がまんすることであれ、コミュニケーションのしかたであれ、そのこと自体を教えようというのが、はっきりした目的になっているわけではないからです。授業中に教えるべきだとされる内容、それは、その教科の知識です。それに対し、それほど明確に教えるべきこととして意識されているわけでも、述べられているわけでもないのに、授業中、知らず知らずのうちに教えられるルールや知識。表にはっきりとあらわれているわけではないという意味で、それが「隠れたカリキュラム」と呼ばれるのです。

はっきり表に出ないということは、教える先生も、教科の内容に比べれば、それほど気づかずにこれらのルールを教えていることになります。先生にとって、その授業で教えたいのは教科の知識です。遅刻を注意したり、いねむりしている生徒を起こしたり、おしゃべりをやめさせるのも、授業をスムーズに行うためです。別に、時間を守ることやがまんすることを教えよう、コミュニケーションのしかたを身につけさせようとしているわけではありません。あくまでも、「ついでに」教えられること。それが、隠れたカリキュラムです。

隠れたカリキュラムが学校で教えられるのは、実は学校が集団の場であることと関係しています。授業であれ、ほかの活動であれ、おおぜいの人がいっしょに何かをしようとする。集団としてまとまって活動するためには、一定のルールが必要になります。つまり、集団として活動をスムーズに行おうとすることが、授業の内容とは別に、ルール――すなわち、隠れたカリキュラム――を教えることにつながるのです。

男子と女子

朝、先生が出席をとるとき、どんな順番で名前を呼ぶか。たいていの学校では、アイウエオ順に男子の名前から呼んでいるのではないでしょうか。そして、男子が終われば、次は女子。最近は男女混合名簿と呼ばれる方式を使う学校も出てきましたが、中学校ではまだ男女別のほうが多いでしょう。

朝礼や始業式、終業式などの際に、校庭や体育館に並ぶとき、どんなふうに並びますか。女子がずらーっと並んだ後ろに、男子が並ぶ。あるいは、女子の列のとなりは男子の列というように、男女が交互に並ぶこともあるでしょう。そして、たいていは、男子は男子で身長の順番、女子は女子でやはり背の順に並びます。男の子と女の子をあわせて、身長順に男女がまぜこぜに並ぶという学校は少ないでしょう。

体育の時間には、はっきりと、男子と女子とで別々に授業が行われます。運動会の競技でも、文化祭のような行事でも、男女が分けられて、男子は男子、女子は女子というように何かをすることは、それほどめずらしいことではないでしょう。

このように、学校の中では、いろいろな場面で、男子・女子の区別がつけられます。学校では自然と男女を区別して扱うことが少なくないのです。

男女をこうして区別して扱うことは、しばしば、「男の子はこうするべきだ」とか「女の子ならこんなことはしないほうがいい」といった、男女それぞれ別々に、何をすべきか・すべきでないかといったルールと結びついていくことがあります。これも隠れたカリキュラムのひとつです。社会の中で男女を区別して扱うルールが、学校生活を通じて、知らず知らずのうちに生徒たちに伝えられるのです。

ところで、あなたの学校では、名簿は男女別々ですか。整列のときはどうやって並びますか。どうしてそうなったのか、考えてみてください。

自分の位置

授業中、先生がある生徒をさして、「この問題の答えは何ですか」と質問しました。ところが、さされた生徒には答えがわかりません。立ったままもじもじしていると、先生が、「それではだれかわかる人はいませんか」と聞きました。そのとき、別の生徒が元気よく手をあげて答えました。

「だれかわかる人は？」と先生から聞かれたとき、手をあげて答える人もいれば、わからないので、「自分にあたらなければいいなあ」と思う人もいるでしょう。それから、数学のような時間には、問題をあてられた人が前に出て黒板に答えを書くこともあります。そのようなときに、むずかしい問題でも正しく答えられる人、やさしい問題のはずなのに間違った答えを書いたり、途中で解けなくなってしまう人もいます。

こういう場面はふだんの授業でもよくあることでしょう。こんなとき、隠れたカリキュラムとして何を学んでいるのか。それを考えてみましょう。

クラスの中で、だれが勉強ができるのか。その人と比べると自分はどのくらいなのか。たとえ試験の点数が出なくても、通信簿を見せあわなくても、ふだんの授業の中で自分とほかの生徒を比べるということが自然に行われます。数学の問題の解きかたを学ぶ一方で、自分の学力がどの程度なのかを知らされる。ひとりひとりがばらばらに勉強しているような場合では起こらない、他の人との比較ということが、クラスのような集団で勉強している場合には起こってくるのです。

このように、授業の時間は、あなたがどの程度の学力をもっているのか、クラスの中でどのくらいなのかを教える時間でもあります。むずかしい問題を簡単に解いてしまう人は「できる人」「すごい人」と見なされ、やさしい問題でもつまずいてしまう人は、「あの子はあまり○○は得意でないな」と思われてしまう。隠れたカリキュラムは、勉強の面での自分の位置を教えているのです。

学年と年齢

小学校一年生の教科書から、今使っている教科書までを思い出してみてください。学年が上がるにつれ、教科書にのっている絵の数が減り、その分、字が増えているでしょう。出てくる問題はむずかしくなっています。今なら小学校の算数の問題はなんなく解けるはずです。

学年が上がると、もっと複雑でむずかしいことを勉強するようになる。このような学年を単位とした学校生活を通じて、生徒たちはどんな隠れたカリキュラムを学んでいるのでしょうか。以前はできなかったことでも、時間とともにできるようになる。進級という学年の変化を経験することを通じて、年齢とともに、以前より成長したという感じ――つまり時間がたつほど、だんだんよくなっていくのだという感覚をもつようになります。いいかえれば、人間は「発達」するのだという意識を身につけているのです。

クラス編成は、学年を単位に行われます。授業を受けているのは、みんな同じ学年の生徒たち。同じ年齢の生徒たちがいっしょに授業を受けます。授業だけではなく、給食を食べるのも、そうじをするのも、たいていは同じ年齢の生徒たちです。クラブ活動をやっている人なら、先輩―後輩の関係を経験するでしょう。たった一年しか違わないのに、部活では先輩と後輩とで立場がずいぶん違います。上級生に対してきちんとあいさつをする。道具のあとかたづけやグラウンドの整備などは後輩がやる。そういうクラブもあるでしょう。

このように、学校では学年という単位で集団がつくられる場面が少なくありません。たった一、二年の違いでも、上級生と下級生の関係は、同級生同士の関係とは違います。年齢によって、人とのつきあい方をどのように変えていくのか。学年という年齢集団を基本にした学校生活を通じて、発達という感覚や、年齢による人とのつきあい方の違いということを学んでいくのです。

年齢による区別――これも学校が教える隠れたカリキュラムの一つです。

「日本」といううまとまり

つぎに、ましこひでのりさんの研究（『イデオロギーとしての「日本」』三元社）を参考に、社会科や国語の授業に、どんな「隠れたカリキュラム」が含まれているのかを考えてみましょう。

まずは、社会科の地理です。地理の時間には、北は北海道から南は沖縄までを対象に、現在の「国境」で囲まれた、日本という地域について学習します。その結果、どこからどこまでが日本という国なのかを学びます。ちょっとむずかしい言葉を使えば、空間としての連続性、つまり、場所としてどこからどこまでが日本という国の領土であるのか、そのつながりを前提として、日本の地理を学ぶのです。

歴史であれば、これもまた日本というひとつのまとまりをもった地域を対象に、石器時代、縄文《じょうもん》時代から始まり現代まで、日本という国の歴史を学びます。この場合にも、ずうっと昔から今まで、日本という国がひとつのまとまりとして引き続き連続してあったこと（むずかしくいえば、時間的な連続性）を前提に歴史の学習が行われます。

このような学習を通じて、私たちは、日本という国がひとつながりのまとまった単位として、ずっと昔からあったと思うようになるでしょう。ところが、明治維新以前には、たいていの人は、自分が日本人であるよりも、長州《ちょうしゅう》（現在の山口県西北部）人とか、薩摩《さつま》（現在の鹿児島県西部）人であるというように、それぞれの藩（地方）の人間だという意識が強かったのです。沖縄やアイヌの人たちのように、かつては日本という国のまとまりの外側で暮らしていた人もいました。

今では、日本国籍をもって、この日本列島に住んでいるかぎり、私たちは自分が日本人であることを疑いません。日本という国のまとまりがあること、その国民であることになんの疑問ももたずに暮らしています。でも日本人であることを、どうやって学んでいるのでしょうか。

つぎは、国語について考えてみましょう。これも、ましこさんの研究を参考にしています。

国語の時間に日本語の勉強をするのは、日本語こそ、日本という国の言葉であると見なされており、しかも日本に住んでいる子どもならだれでも、大人になるまでにこの言葉を使えるようになる必要があると考えられているからです。しかし、日本語といっても、地域によってアクセントや使う単語に特徴があります。東北地方で使われる言葉と、関西や九州、沖縄で使われている言葉では、違いがあります。ところが、国語の時間に勉強する日本語は、このような違いをこえた「標準語」・「共通語」と考えられています。

国語の教科書を声を出して読んでみると、同じ文章でも、地方によるアクセントの違いがわかるはずです。それでも、日本語という一つの言葉がある。それを前提に、私たちは国語を学びます。

つまり、国語の時間を通じて、日本語というひとまとまりの言葉があること、そして、日本語という共通の言葉を読み、書き、話す私たちは、日本という国の一員として同じであることを、学んでいるのです。

このようにみると、国語にしても、地理や歴史にしても、言葉のルールを学んだり、地域の特性や、昔のできごとについて学ぶだけではなく、日本という国のまとまりがあることや、私たちが日本という国の一員であることを教えているのです。江戸時代まで、ほとんどの人は、自分が日本人であるという意識をそれほど強くもっていなかったと前に書きました。それに比べれば、今の私たちは、日本人であることを疑いなく受け入れています。日本中の中学校で、だれもが同じことを勉強する。こうして、日本人というまとまりが強まっていくのです。これも、隠れたカリキュラムの一つです。

学校と社会

これまで、いろいろな種類の隠れたカリキュラムについて説明をしてきました。学校では、数学の方程式や英語の関係代名詞などのように、「この知識を教えよう」とはっきり示していないのに、ふだんのなにげない生活を通じて、生徒に伝えられることがたくさんある。さまざまなルールや、ものの見方・考え方、人とのつきあい方、日本という国のまとまりや、日本人であるといった意識など、いろいろなことがらが、学校では生徒たちに教えられています。

でも、どうしてこのような隠れたカリキュラムが、学校生活の中に入り込むのでしょうか。最後に、この問題を考えていくことにしましょう。

この問題を考えるために、隠れたカリキュラムを大きく二つに分けてみましょう。一つのタイプは、学校生活をスムーズに行うために入り込んでくる隠れたカリキュラムです。これは、すでに述べたように、授業などをきちんと行うために必要とされるいろいろなルールのことです。時間を守ることも、コミュニケーションのルールも、一人で勉強するのではなく、集団で勉強するときに必要となる約束事です。

もうひとつのタイプは、もっと自然に、知らず知らずのうちに学校生活に入り込んでいる隠れたカリキュラムです。男女の区別や、年齢による区別といったことは、それが特別に問題とされないかぎり、「あたりまえ」のこととして学校の中でも使われる区別であり、約束事です。学校以外のところでも、なにげなく使われる区別が、そのまま学校でも使われるのです。

日本人や日本という国についての意識も同じです。日本という国がすでにまとまりをもっていることや、私たちが日本人であるという意識があたりまえになっている現在では、日本という国のまとまりを前提に教育が行われるのも不思議ではありません。あたりまえと思われているからこそ、自然と学校の中にも入ってくる考え方なのです。

ここで重要なのは、第二のタイプ、つまり、知らず知らずのうちに学校に入り込んでくる隠れたカリキュラムです。というのも、この第二のタイプの隠れたカリキュラムによって、あたりまえだと思っていることが、あたりまえのまま疑われなくなることがあるからです。

男女の区別にしても、年齢による区別にしても、慣れてしまえばあたりまえに思える区別です。では、男子と女子の区別にしても、ほかのやり方はないのでしょうか。年齢ごとの集団づくりにしても、違う学年をごちゃまぜにするやり方はできないのでしょうか。そう疑ってみると、どうしてもそうしなければならないほどの必然性があるとは限りません。出欠をとるときに男女まぜこぜで名前を呼んでも困らないはず。授業だって、塾や大学などでは、年齢にこだわらずにいっしょに勉強する集団がつくられることがあります。年齢よりどれだけの学力があるかを基準にクラスをつくってもよいのです。

日本という国や日本人という意識にしても、外国人の子どもが日本の学校にもっと増えていけば、どうなるでしょう。今までのように、日本という国のまとまりを前提に、日本語や日本の歴史、地理を中心に教える教育が望ましいかどうか、疑問が出てくることだってあるでしょう。実際に、いろいろな国から人びとが集まってできたアメリカやカナダのような国では、それぞれの人種や民族の特徴を学校でもっと勉強させようという主張があるくらいなのです。

このように、隠れたカリキュラムを通じて、私たちは、自分たちのまわりの世界を、どのように区別するのかを知らず知らずのうちに身につけていきます。男と女の違いをどう見るか。そして、そういう区別のしかたが、私たちの行動や考え方にも反映するようになります。たとえば、「男だから○○すべきだ」「女のくせに○○するなんて」といった見方が自然に出てきたりするのも、男と女という区別のしかたを知らず知らずのうちに身につけているからかもしれません。

年齢という区別のしかたも同じです。年齢が一歳違うだけで、先輩と後輩の区別がつけられたりするのも、学年という区別のしかたが学校の中でごく自然に行われていることと関係しています。そして、こういう年齢という区別を気にしながら、社会人になっても、会社の中でだれが先輩かとか、だれが同期だとかいったように、人との関係の取り方が違ってきたりするのです。

さらには、日本という国のまとまりや日本人と外国人といった区別のしかたにしても、そういう区別のしかたを、知らず知らずのうちに身につけていることが基礎にあるのです。自分は日本人だという意識をもとに、他の国のできごとや他の国の人とつきあっていくのか、それとも、そういう日本人という意識を離れて、自分個人としてつきあっていくのか。こういう違いも、日本というまとまりをどのように区別しているかに関係しています。そして、こういう「日本人としての自分」という意識のもとが、学校での隠れたカリキュラムなどを通じてつくられ、強化されていくのです。

このように疑ってみると、知らず知らずに入り込む隠れたカリキュラムは、それが前提としているあたりまえのことを、より強化しているといえます。ほかのやり方の可能性があることさえ、気づかないようにさせてしまう。たとえば、男女という区別を取り払ってみたり、年齢という区別を取り払ってみたり、どの国の人であるかという区別を取り払ってみたり、そうしたときに、私たちは、どのような新しい関係を築き上げることができるのか（こうしたことは、日本の社会でなぜ男女の平等がもっと進まないのかとか、日本で生まれた外国籍の人が国や地方の議員になれないのはなぜか、といった問題にもつながっています）。ところが、こういう想像がはたらかなくなるようにする力を、隠れたカリキュラムはもっているのです。

学校というところは、秩序を重んじる場所です。秩序というのは、まずは、自分たちのまわりの世界をどのように区別し、そうやって区別された人やモノやことがらを、どのように関係づけるかによって成り立っています。ですから、区別のしかたを変えてみるだけで、自分と世界との関係も変わってくるのです。こういう秩序のでき方や、私たちの社会の組み立て方ということにも、隠れたカリキュラムは関係しています。ですから、隠れたカリキュラムを発見することは、このような、私たちと世界との関係のあり方が、知らず知らずのうちに、どのように維持されているのかに目を向けることになるのです。

第6章

先生の世界

もうひとりの主人公

学校は、不思議なところです。そこにいるのは、大人と子ども。大人たちのほとんどが先生で、子どもはみんな生徒。学校は、大人である先生と子どもである生徒で成り立っている社会です。しかも、先生にとって、学校は職場、つまり、そこで仕事をして給料をもらう場所です。一方の生徒は、その先生が教える対象です。同じ学校という場所に、仕事をしてお金をもらう大人と、その仕事の対象になる子どもがいるのです。

このような場所は、塾や予備校といった学校の親類のような場所をのぞけば、ほかにあまり見あたりません。会社や役所のように、たいていは、大人だけだったり、家族や地域社会のように、大人と子どもがまじっていても、一方の大人がお金をもらうための仕事をして、他方の子どもがその仕事の対象になるような関係ではないからです。

ところで、あなたは、学校の先生について、いったいどんなことを知っていますか。教育について書いた本や雑誌、新聞などを見ても、生徒について書かれたものはたくさんあります。学校で起きるさまざまな問題が、生徒の問題だと見なされてきたからでしょう。ところが、先生について書かれたものは意外と少ないのです。「学校って何だろう」を考える場合に、学校のしくみや学校での活動に目を向けるだけでは不十分です。学校にいる人たちのこと、とくに、先生の世界を知ることは大切です。というのも、学校の秘密の多くは、先生がつくりだしているからです。

これから、先生＝教師のことをいっしょに考えていきましょう。先生とは、いったいどういう人なのか。教師の仕事には、どんなことが含まれているのか。先生は、どのようなことを考えて、教育という仕事をしているのか。先生同士の関係はどうなっているのか。

中学校という社会のもう一方の主人公である先生の話をこれから始めます。

先生の仕事

はじめに、先生がどんな仕事をしているのかを見ていくことにしましょう。生徒のあなたから見ると、先生はどんな仕事をしているように見えますか。ちょっと考えてみてください。

もちろん、いちばん目につく仕事は、授業をすること、つまり教科の指導でしょう。二〇〇一年に行われた文部科学省の調査によれば、中学校の先生は、一週間あたり平均して一五・六時間の授業を受けもっています。つまり、一日にならせば平均三時間程度の授業をしていることになります。「えっ、たったそれだけ？」と思った人もいるかもしれません。生徒のほうは、たいてい六時間ずつ週五日間授業があるからです。

でも、授業時間だけが先生の仕事の時間ではありません。それ以外の時間を使って、授業の準備をしたり、宿題のチェックをしたりと教科指導にかかわる仕事をしています。

教科指導のほかにも、先生にとって大切な仕事があります。校務分掌《こうむぶんしょう》と呼ばれる仕事です。ある先生は生徒指導の担当であったり、別の先生は進路指導だったりと、授業以外で生徒を指導する役割を分担しています。また、直接生徒に対応するわけではありませんが、時間割をつくったり、試験のスケジュールをたてたりする教務の仕事や、図書の係、保健・衛生関係の仕事や、ＰＴＡへの対応をする仕事など、いろいろな仕事をこなさなければなりません。こうやって、学校内のさまざまな仕事を先生ごとに割りふっているのが、校務分掌と呼ばれるしくみです。

事務的な仕事もあります。出欠の記録をまとめるのも、テストの結果を記録しておくのも、学校で集金したお金の計算をしたり、教材を注文する書類を作るのも、先生の仕事です。中学校には事務員さんが少ないでしょう。その分、学校の中の事務的な仕事を先生が引き受けているのです。ほかにも部活動の指導をしたり、学校行事の準備をしたり、さらには公開授業や研修に出かけたりと、学校にはたくさんの仕事があります。

先生って、忙しそうですね。

教師本来の仕事

それでは、さまざまな仕事の中で、先生自身は、どんな仕事を教師としての自分の本当の仕事だと考えているのでしょうか。ここでは、松本良夫さんたちの研究（『逆風のなかの教師たち』東洋館出版社）を参考に、中学校の先生が、自分たちの仕事についてどんな考えをもっているのかを見ていくことにしましょう。

先生に、どんな仕事が本来の教師としての仕事かをアンケートでたずねました。すると、八割以上の先生が、本来の教師の仕事だと答えたのは、授業や授業のための準備にかかわる仕事（九九％）、生徒たちの気持ちを理解しようと努力すること（八六％）、学校行事の指導（八六％）、問題のある生徒の指導（八五％）、勉強の遅れた生徒のための指導（八四％）といったところでした。授業のために教材の研究をしたり、授業の工夫《くふう》をしたり、勉強の遅れた生徒の指導をしたりと、「教える仕事がやはり一番」と先生は思っているようです。でも、それにとどまらず、生徒の気持ちをできるだけ理解しようとか、学校行事を指導しようとか、問題のある生徒を指導しようといった、勉強以外の面での指導についても、多くの先生が、教師本来の仕事だと思っています。

このほか、多くの先生が「そう思う」と答えたのは、校務分掌の仕事（七九％）や、先生自身がさらに勉強するための研修会への参加（七七％）などです。反対に、たくさんの先生が「そう思う」と答えなかった仕事を見ると、学校の通学区域内の見回りや校外での指導（二〇％）、生徒の服装や持ち物の検査（二四％）、受験を意識した教科の指導（三四％）、生徒たちと遊ぶこと（四三％）、課外クラブ活動の指導（四三％）になります。これらの仕事は、半分以下の先生にしか、「教師本来の仕事」だと思われていないのです。

このアンケートの結果をあなたはどう考えますか。

「そんなの信じられない」と思った人もいるかもしれません。たしかに、アンケートにどれだけ本当のことを答えるかを疑いだしたら、きりがありません。でも、ここには案外と先生のホンネが出ていると私は思います。そう考える根拠をこれから説明しましょう。

たくさんの先生が、「これぞ教師の仕事だ」と思っている仕事は、大きく分けて三つあります。第一のタイプは、授業に関係する仕事です。教師の専門家としての仕事は、まさに勉強を教えること。ですから、先生自身にとっても、授業の準備や工夫をすることは当然大事な仕事と見なされるわけです。

第二のタイプは、生徒との関係にかかわる仕事です。生徒たちの気持ちを理解しようとするのは、教える相手であり、指導の対象である生徒たちのことをわかることが、教育という仕事の基礎になると考えられているからです。「生徒の気持ちもわからないようでは教師はつとまらない」とか、「生徒理解こそ教育の基本」といったことが教育にかかわる人たちの間でよくいわれます。生徒との関係が悪くなれば、授業もうまくいかなくなるでしょう。授業以外の面でも、生徒たちの気持ちや行動に悪い影響を与えるかもしれません。

教育とは、「生徒たちの将来のため」を思って行われることだと考えられている、と前に書きました。何が生徒のためになるのか。それがわかるためには生徒を理解することが必要です。それだけに、人間関係を大切にする日本の学校ではとくに、「生徒理解」が重要だといわれるのです。

第三のタイプの仕事は、ほかの先生と協力して、学校という組織を動かしていく仕事です。校務分掌や学校行事の指導は、複数の先生やおおぜいの生徒が参加してできている学校という集団をどのように動かしていくのかにかかわる仕事といえるのです。これもまた、学校という場所が先生一人と生徒一人でない以上、協力して仕事を進めていくうえで必要となる重要な仕事です。

第一の授業にかかわる仕事は、他の人には簡単にできない、教師としての、まさに専門性が問われる部分です。ですから、先生のほとんどがそれを教師本来の仕事だと考えるのもうなずけます。第三のタイプの仕事も、学校が複数の人間の協力で成り立つ以上、各自、仕事を受け持つことが大切だと考えるのも当然でしょう。ところが、第二のタイプの仕事、つまり、生徒との関係にかかわる仕事については、他の二つとは違う性格をもっています。

第一の授業に関する仕事の場合も、第三の学校という組織にかかわる仕事も、仕事の内容が比較的はっきりしています。勉強のことであれば、何をどう教えるか。校務分掌ならどんな仕事をすればよいのか、その中身は比較的明確です。ところが、生徒の気持ちを理解するという仕事は、そもそも何をすることなのか。どうすればよいのか。他の二つに比べてはっきりしません。生徒が勉強のどこでつまずいているのかを理解するのに比べて、生徒の気持ちを理解するうえで、これがいい方法だというのがはっきりわかっているわけでもないのです。

しかも、人の気持ちを理解するという面で、学校の先生は必ずしも専門的な訓練を受け、専門的な知識をもっているわけでもありません。それでも多くの先生が、生徒の気持ちを理解することを教師の大事な仕事だと考えているのです。

生徒を理解する仕事

ところが、生徒の側から見ると、「先生は、自分たちの気持ちを理解してくれない」と思えることがけっこう多いのではないでしょうか。

先生の気持ちと生徒の気持ちのすれ違い。この違いのなかに、教師の仕事、それに学校という場所の特徴が表れていると見ることができそうです。

その特徴を明らかにするために、まずは「人の気持ちを理解する」とはどういうことかを考えてみましょう。先生が生徒の気持ちを理解するというケースにかぎらず、問題をもっと広げることで、教師の仕事の特徴をつかむことができるからです。

たとえば、中学生同士、友だちの気持ちを理解するというのは、どういうことでしょうか。親が子どもの気持ちを理解するというのと同じでしょうか。もっと違う例を考えてみましょう。好きな異性の気持ちを理解しようとする場合。精神科医が、患者さんの気持ちを理解する場合。ラジオのパーソナリティが電話で人生相談をしてきた中学生の気持ちを理解する場合。カウンセラーが相談に来た不登校の生徒の気持ちを理解する場合。裁判官が、ある事件を起こした被告の気持ちを理解する場合。難病の患者さんの気持ちをお医者さんが理解する場合……。

いろいろな例をここであげたのは、人の気持ちを理解するといっても、理解しようとする内容や、どうして理解しようとするのかといった目的、さらには理解の方法といった点で、それぞれに違いがありそうだ、ということをわかってほしかったからです。場合によっては、「相手の気持ちのすべてがわかる」ことが必要とされているわけでも、重要なわけでもない、ということもあります。としたら、先生が生徒の気持ちを理解するというのは、どういうことか。

このようにいったん問題を広げて考えると、教師が生徒の気持ちを理解するとはどういうことか、その特徴もはっきりしてきます。中学校の先生は、教師という立場から、その仕事に関係する範囲で、生徒の気持ちを理解する必要があるのです。授業のつまずきの原因が、どこにあるのか。生徒は高校卒業後の進路をどう考えているのか。遅刻や欠席が多くなった理由は何か。先生にとって、教師の仕事と関係する範囲内で、生徒のことがわかればいいのです。親が自分の子どもの気持ちを理解するのとは、目的も方法も、理解したい内容も違って当然です。生徒の気持ちを全部わかろうと思っているわけではない。ですから、生徒の側から見れば、「先生は自分の気持ちをわかってくれない」と見えるのも無理ないことなのです。

だいいち、生徒は心底から「自分の気持ちを先生にわかってもらいたい」と思っているのか。私にはどうもそう思えません。中学生くらいの年齢になれば、自分にまつわるさまざまな迷いやとまどいや不安や望みが複雑に胸の内にしまわれているはずです。それをはっきりとした言葉で表すのは、自分にとってもむずかしかったりします。簡単に人に相談できるような心の悩みなど、悩みのうちに入らないといっていいほどなのかもしれません。そういう言うに言えない心の奥底まで、あなたは学校の先生に理解されたいと思っているでしょうか。「話したいときには聞いてもらえる」、そう思えるだけでも十分なのではないでしょうか。

ところが最近、教師がどこまで生徒を理解すべきかの範囲が、広がりつつあります。いじめによる自殺や殺人事件など、マスコミで問題にされる事件が起きる。すると、「学校の指導が悪いからだ」。「同じような事件が起きないように、学校がもっとしっかり指導しなければいけない」。こういう意見がすぐに出ます。そんなとき、まっさきに、「教師は生徒を理解しているか」が問題にされるのです。

しかし、先生は子どもの気持ちを理解する専門家ではありません。教師が専門家として理解できるのは、学力や進路との関係や学校内での行動といった、子どもの「生徒」としての側面にかぎられます。学校にかかわりのない部分についての理解まで先生に求めるのは、期待のしすぎではないか、と私は思います。それでもそれを求める声のほうが大きいのはなぜか。学校の不思議も、教師という仕事の不思議も、このへんにありそうです。

教育の拡張

このような見方が社会に広まる理由の中に、学校という場所の奇妙なところ、教師という仕事の不思議なところがあります。ここには二つの問題が考えられます。一つは、教育という仕事をどのようにとらえるのかという問題です。そしてもう一つは、学校や教師と社会との関係にかかわる問題です。

はじめに、第一の問題を考えましょう。この問題は、「教育という仕事」は、どの範囲までか、ということと関係しています。教育という仕事、学校の教師の仕事の領分の問題といっていいでしょう。これまで述べてきたように、その仕事の中心は、なによりも勉強を教えるところにあります。先生自身も教師としての本来の仕事の中心は、教えることとその準備にあると考えていました。問題は、それ以外の学校生活にかかわることを、どの程度、教師の仕事、つまり、「教育の範囲」と考えるかです。いろいろな規則をつくって生徒たちに守らせるのは、「将来、よい大人になるため」という考えがもとにある。そういうことを、第3章の「校則はなぜあるの?」で書きました。なにが「よい大人になるため」に必要なのかについては、はっきりと「これだ」といえるわけではありません。ところが、その判断の基準があいまいなだけに、「あれも、これも」という具合に、指導の対象が広がっていくのです。

ここに、学校の秘密が隠されています。どんな手段を使えばどんな目的にたどりつけるか。その判断があいまいであればあるほど、教育の仕事、つまり教師の仕事は広がっていくのです。

社会からの期待

でも、それだけではありません。そのように教師の仕事を広げていく原因は、先生たち自身がそう考える以上に、いろいろな仕事を学校や教師に求める声が、学校のまわりにうずまいていることにあります。これは、第二の問題、つまり学校や教師と社会との関係にかかわる問題です。

学校は、子どもが大人になるまでに必要な知識を、それぞれの家庭にかわって専門的に教える場所として発展してきました。少数の大人が教師という専門家として、たくさんの子どもたちを教える。と同時に、子どもたちがたくさん集まることから、人との協力のしかたやつきあい方といった、勉強以外のことを教えるのも学校の役目だというようになりました。大人になる、つまり社会の一員になるためには、学校で教える知識だけではなく、社会生活に必要な習慣やルール、さらには学校の時間割でいえば「道徳」に関係する、人間や人生や世界についての基本的な考え方（人間観・人生観・世界観）も学校で教えたほうがよい、と考えられるようになったのです。

ところが、一方でこれらを教える場所は、学校だけにかぎりません。家庭も重要な場所です。地域の他の大人たちがかかわることもあるでしょう。さらには、教会や寺院が大きな影響力をもつ場合もあります。つまり、勉強以外の「大人になる」までに必要なことがらをどこで教えるかについては、社会全体の中で、さまざまな場所がかかわっていて、その間の役割分担もいろいろありうるということです。どんなところが、どんな責任を負うのか。その線の引き方によって、学校が行う教育の範囲（＝教師の仕事）も、変わってくるのです。

限りない期待

日本の学校の場合、とくにこの勉強以外の面で学校に期待されるところが大きいようです。日本の学校では、いろいろな活動が「よい大人になる」ための教育活動と見なされ、教育の範囲に入り込んでいくということが多いのです。

例をあげましょう。たとえば、給食。学校で昼食を食べるだけなら、別に「よい大人になる」ための活動とは見なされません。ところが、どんなふうに食べるかということがかかわってくると、給食も立派な教育の一環となります。生徒たちが順番に給食係になって、みんなで協力しあって昼食を食べる、食べ残しはいけないといわれる、など、たんにおなかをいっぱいにする以上に、給食には「よい大人になる」ための意味が与えられます。

学校のそうじもそうでしょう。アメリカの学校などでは生徒が自分で学校のそうじをするわけではありません。学校には、そうじをする人が雇《やと》われていて、その人の仕事になっているのです。それに対して日本では、自分たちで使う教室などを生徒自身がきれいにすることにも、「よい大人になる」ための活動としての意味が付け加えられます。

私の知っている中学校では、校長先生が生徒がそうじを上手《じょうず》にする、ぞうきんをうまく使うことを、学校の自慢の一つにしています。日本の中学校は、そこまでを教育の一部と考えています。こういうそうじをふくめて、日本の学校では、たいていの活動が、「よい大人になる」ために役立つかどうか考えられているのです。

このように、学校での生活のいろいろな面が教育という仕事と関係づけられる。その結果、先生が責任を負わなければならない範囲も広がっていくのです。「これも、あれも教育のため」となることで、先生の仕事はどんどん増えていくのです。

これとは、ちょうど反対の例に見えるのが、アメリカの学校です。アメリカの学校では、先生は授業で学科を教えることに専念しています。生徒の相談にのるのは、スクールカウンセラーという専門家で、どの学校にも必ずいます。生徒の問題行動は、こういう専門家がしっかり指導することになっていて、先生の仕事から外《はず》されているのです。クラブの指導も、専門のコーチや指導者がついたりします。それに、アメリカの学校では、放課後や休み中の教育は家族の責任という考え方がしっかりしていて、先生たちは校外補導などの仕事もしません。しかも、給料が支払われるのも、学校がある九月から六月まで。長い夏休みは給料も出ません。夏休みにクラブの指導をしたりすることもないのです。

それに対して、日本の先生たちは、じつにいろいろな仕事を、一年中にわたってやっています。土日だって、夏休みだって、クラブの顧問をしていたら学校に出ていきます。校外での事件や問題行動にも、学校の責任が問われることが少なくありません。いろいろな専門家が学校にいない分、先生たちが何でも引き受けているのです。

このように学校が行う教育の範囲が広がっていった理由は、どこにあるのでしょうか。先生にたくさんの仕事を期待するようになったのは、なぜでしょうか。あなたもいっしょに考えてみてください。

社会の変化と学校の責任

学校の責任範囲が広がっていった理由の一つは、学校に比べて、ほかのところの責任が小さくなったことと関係があります。欧米では、人の生き方に関する基本的な考え方について教えるのは、学校より教会などの宗教の役目だと考えられていました。それに比べ日本では、宗教の影響はあまり強くありません。

日本でも、昔は、子どものしつけなど、勉強以外のことを学校の責任だと見る見方はそれほど強くありませんでした。ところが、学校が子どもたちの生活の中心になっていくにしたがい、変化があらわれました。

変化が起きたのは、一九五〇年代の終わりから七〇年代初めころの、高度成長期と呼ばれる時代ではなかったかと、私は考えています。このころは、「モーレツ社員」の時代でした。父親は仕事に忙しく、子育てに参加できない。家族も、おじいさん・おばあさんといっしょに暮らす形から、両親と子どもだけの「核家族」へと変わっていく。さらには、仕事のために、他の土地に移る人が増えた時代でもあります。これらの変化の結果、家族内でも、地域でも、人と人との関係が大きく変わっていきました。

人びとの意識の面でも、大きな変化がありました。昔風の子育てやしつけのやりかたに対して、「古くさい。封建的だ」という批判が広まったのもこの時代です。高校まで進学する人たちが九〇％近くに達したのもこの時期でした。ますます多くの子どもたちが、学校で長時間過ごすようになりました。

こういう変化をバックに、学校への期待が大きくなっていったのです。というのも、昔風のしつけではだめだという批判が出る一方で、学校以外には、子どもの生活にかかわりをもつ場所がどんどん少なくなっていったからです。昔風の子育てがだめとなれば、親はだれをたのみにするか。しかも、父親はモーレツ社員で家にいない。学校がいろいろな役目を引き受けてくれることが、親にとっても社会にとっても都合のよい時代だったのです。その結果、学校はいろいろなことを、「教育活動」としてのみ込んでいきました。

学校の責任と教師

学校の果たす責任の範囲が広がったのは、高度成長のころだという話をしました。ところが、この時代の終わりごろから、学校でいろいろな問題が発生するようになりました。

校内暴力の嵐が吹き荒れたのは、この時代のすぐ後のことです。少年非行の数も、一九七〇年代の終わりごろから急速に増えていきます。暴走族や家庭内暴力の問題が大きく取り上げられるようになったのも、このころです。

そして、子どもの問題は、学校や教育の問題であると見なされるようになりました。というのも、問題を起こしたのが、在学中の生徒であるということもありましたが、このころまでには、学校の果たすべき責任の範囲が大きく広がっていたからです。

責任の範囲が広がっているところに、重大な問題が起きる。そうなれば、学校の責任が追及されるのは当然です。しかも、校内暴力にしろ非行にしろ、学校の教育が不十分だから、不完全だから問題が起きるのだ、というスタイルの追及でした。つまり、学校や教師の役目を減らすよりも、さらに増やすことを求める声が大きかったのです。

最近のいじめ問題や少年による殺人事件の後にも、同じように学校教育の責任を追及する声が上がっています。「心の教育」を求める声はその典型です。

学校がいろいろな責任を負うようになればなるほど、子どもの問題というと、すぐに学校や教師に批判が向けられる。そうすると学校は、子どもが「よい大人」になるための指導をそのぶん増やさなければならなくなる。さらには、「もっとよい教育」を行うための研修会（先生たち自身の勉強会）に参加したり、その準備をしたりと、先生の仕事が増えていく。しかも、子どものことをすみずみまで理解しなければいけないといった期待まで寄せられる。事件や問題が起きるたびに、学校にまかせてきた教育の責任が、雪だるま式にどんどん大きくなり、先生の仕事を増やしていくのです。

疲れる先生

このような中で、先生たちは本当に忙しくなっています。

前に紹介した松本良夫さんたちの研究によれば、学校での仕事の時間が、一日一〇時間以上という中学校の先生は、七割を超えるといいます。また、学校だけでは仕事がかたづかずに家に持ち帰って働く時間が一週間に一〇時間を超えるという先生も、中学校では半分くらいいるという調査結果があります。標準的な勤務時間が八時間であることを考えると、家での時間を合わせれば、中学校の先生はかなりの残業をこなしていることになります。「朝学習」にしても、部活動の朝練習や土日の練習試合にしても、出てくる先生にとっては、勤務時間外の仕事なのです。

忙しさは、先生の気持ちや体にも影響を与えているようです。疲れやすいという先生が七三％もいます。ゆううつな気分になるという先生も四四％います。教師をやめたいと思ったことがあるという先生は三七％、授業のとき気が重いと答えた先生が三〇％、生徒たちと接触することがわずらわしいと感じたことのある先生も二三％にのぼります。しかも、とくに若い先生ほど、こういう傾向が強いことが調査からわかっています。

こういう傾向は、最近では「教師の多忙化」問題と呼ばれています。先生が忙しくなりすぎたことによって起こるいろいろな問題のことです。やめたくなるだけではなくて、本当にやめてしまう先生や、学校に行くのがいやになってしまう先生もいるくらいです。

生徒であるあなたにとって、こういう調査の結果はどのように見えるのでしょうか。「先生も大変だなあ」と思うのか、それとも、「もっとがんばれ」と思うのか。それにしても、これほどまでに先生を疲れさせる学校というのは、いったい何なのでしょうか。

先生にできることとできないこと

現在（二〇〇四年の統計によれば）、日本の中学校には、全部で約二五万人の先生がいます。これには、校長先生も教頭先生も含まれます。ちなみに、小学校の先生の数はおよそ四一万人、高校の先生は二五万人です。つまり、日本中で九一万人の学校の先生がいることになります。およそ九〇万人といえば、赤ん坊から老人までを含めた日本の全人口のおよそ一三〇分の一。つまり、日本人の一三〇人に一人は学校の先生ということになります。しかも、一三〇人のうちの一番すぐれた人が学校の教師になるというわけではないのです。

この九一万人という数をどう考えるか。たんなる数字にすぎませんが、ここから、教師という仕事を考えるときの大事なヒントを引きだすことができます。

あなたは、こんなにたくさんの先生が全員、生徒のことをよく理解できる、「心の教育」の専門家になれると思いますか。これだけの教師がみんな、他の人の人生に影響を与える人物だということがあるでしょうか。赤ん坊から老人までを全部ひっくるめた日本人の一三〇人に一人の割合だと思うと、それほど簡単でないことがわかるでしょう。学校の先生というのは、全部が全部、よりすぐりの特別な人ではないと考えたほうがよいでしょう。もちろん、そういう立派な先生もいます。ですが、全体としてみれば、普通の人がついている、普通の職業だと考えたほうがよいのだと思います。

単純に数のうえから考えてみても、先生に何ができるのか、その限度がわかるでしょう。「あれも、これも」と学校に要求しても、十分期待にこたえられない。それは先生のせいでも学校のせいでもない。むしろ、そういう期待自体にいきすぎがあるのではないでしょうか。

まじめな先生ほど、社会からまかされた大きな責任が重荷となって、疲れてしまう。疲れた教師たちにのしかかっているのは、社会からの大きすぎる期待や要求の重さです。一三〇人に一人の割合で日本人にできること。そう考えてみると、先生の仕事も違って見えてくるでしょう。

第7章

生徒の世界

自分たちのこと

これまで、先生の世界について見てきました。つぎは、当然、中学校の本当の主人公である生徒たちの世界をテーマにします。

ところが、これは私にとってなかなかむずかしいテーマです。中学校の先生なら、生徒たちの世界について、私よりもずっとよく知っているでしょう。それに、もちろん、中学生であるあなた自身、自分たちの世界のことをよく知っているはずです。

ふだん、学校で友だち同士、どんなことが話題になるか。今の中学生の間では、どんなことがはやっているか。友だちとの関係や、上級生、下級生との関係といった、生徒同士の関係はどうなっているのか。こういったことについても、生徒であるあなたのほうが、大学で教えている私よりもずっとよく知っているはずです。

それでも、「生徒の世界」のことを、私なりに考えてみたいと思います。というのも、本人たちがわかっていると思うほど、自分たち自身のことをよく知っているわけではないということがしばしばあるからです。

このようなことがいえるのは、「よくわかっている」とか、「知っている」ということが、実際にはどのようなことをさしているのか、とかかわっています。「自分たちのことならよくわかっている」と思っていても、実は、自分たちなりのわかり方しかしていないこともあります。「知ってるつもり」になって、見すごしていることもたくさんあるはずです。しかも、これまでの話でもそうだったように、「あたりまえ」と思っていることがらの中にこそ、案外と「知られざる秘密」が隠されていることが多いのです。

というわけで、「生徒の世界」を探っていくことにしましょう。生徒って何だろう。中学生って何だろう。中学生の人間関係はどんな特徴をもっているのか。学校とのかかわりの中で、「生徒」たちがどんな世界をつくりだしているのかを考えていくことにしましょう。

「アイデンティティ」

「君はだれ?」とか「あなたはだれですか」とたずねられたとき、あなたならどのように答えますか。「私は、苅谷剛彦です」と自分の名前を言う人もいるでしょう。「剛君の友だちの○○（自分の名前）です」などと、質問した人が知っている人との関係で答えることもあるでしょう。それと並んで、「私は、△○中学校の二年生です」というように、自分の学校と学年を答える人もいるでしょう。初めて会った人に、自己紹介をする場面を考えてみると、「△○中学校の二年生の○○です」という人が多いのではないでしょうか。

自分はだれなのか。自分は何者なのか。こういう自分自身のことをどう思うかという意識を、ちょっとむずかしい言葉で、「アイデンティティ」といいます。他の人に自分のことをわかってもらうために、「△○中学校の二年生の○○です」と、自分の名前だけではなく、どの学校の何年生であるのかも伝える。そうすることが、自分のことをわかってもらう重要な情報だと、知らず知らずのうちに思っているからそうするのです。つまり、「△○中学校の二年生」ということが、あなたのアイデンティティの一部となっているということです。

大人の世界でも自分のことをほかの人に紹介するときに、「○△大学の佐藤です」とか「○△商事の鈴木です」といったように、自分の勤務先の名前をいうことがよくあります。自分がだれかを人に伝えるときに、どんな集団に所属しているのかが大切な情報だと考えられているからです。中学生のあなたが「△○中学校の二年生の○○です」と答えるのも、これと同じです。いいかたを変えれば、どんな集団のメンバーであるのかが、アイデンティティの重要な一部となっているといえるのです。

「自分は△○中学校の二年生だ」と思うのは、「生徒であること」が自分のアイデンティティの重要な一部である、ということです。では、「生徒である」とは、どういうことなのでしょうか。

生徒という地位

ところで、私たちはたった一つの集団に属しているわけではありません。あなたも、△○中学校の生徒であると同時に、家族の一員です。あるいは地域のサッカーチームのメンバーであったり、スイミングクラブの会員であったりするかもしれません。私たちは、たいてい複数の集団に所属しています。

ところが、そのようないろいろな集団のメンバーであったとしても、「自分はだれか」というアイデンティティの問題となると、やはり中心となる集団が出てきます。もちろん、家族は、そういう集団の一つです。しかし、それとならんで、あるいはそれ以上に、学校の生徒であることもあなたのアイデンティティの中心となっているかもしれません。

きょうだいがいる場合を考えればわかるでしょう。お姉さんは高校生、弟は小学生といった場合、同じ家族の一員であっても、高校生か、中学生か、小学生かといったことで、親の子どもに対する扱いも違ってきます。きょうだい同士の関係も違うでしょう。それぞれが、「高校生の私」「中学生の私」というように、相手や自分のことを考える場合に、どの学校の生徒であるのかを物差しとするからです。それだけ、生徒であることがアイデンティティの大事な部分になっているわけです。

こうやって考えると、だれもが長い間学校に行くようになった社会では、「生徒であること」が、ほかの社会のメンバーから認めてもらえるひとつの地位となっているといえるでしょう。ちょうど、王様や将軍、あるいは騎士とか伯爵といった地位を、その時代のだれもが疑いもなく受け入れていたように、「生徒であること」も一つの地位（＝ステータス＝身分）となっているのです。

生徒という役

王様は王様らしく、騎士は騎士らしくふるまう。身分がはっきりとしていた時代には、その身分にふさわしいかっこうとか、ものの言い方や考え方など、それぞれの身分ごとに、はっきりしたスタイルが決まっていました。その身分にある人自身が、そうしようとしたこともありますし、ほかの人たちから、そうすべきだと期待されていたということもあります。

昔の固定された身分ほどではありませんが、今の社会でも、それぞれの地位によって、どのようにふるまえばいいのかはある程度暗黙のうちに決まっています。どんなことをすべきなのかも、それぞれの地位ごとに、まわりの人たちから期待される内容が違います。このように、それぞれの地位には、それにふさわしいと思われているスタイルがある、といえるのです。

これは、たとえていえば、舞台やテレビのドラマで、役者がそれぞれの役を演じているのと似ています。ドラマの俳優のように、その役に与えられたセリフを言い、演技をする。その役に与えられた演技をすることで、ドラマは進行します。

もちろん、ドラマとは違って、実際の生活には、台本があるわけでも、つぎに何を言うべきか、セリフが決まっているわけでもありません。とはいえ、ふだんの生活でも、自分の好き勝手にふるまっているわけでもありません。たとえば、ちょっとこわい先生の前では、制服の着こなしをきちんとしてみたりすることがあるでしょう。でも、その先生がいなくなれば、またつめえりの学生服のフックをはずしてみたりする。あるいは、先生の前で話すときと、先生がだれもいなくても仲のよい友だち以外のクラスメートがいるとき（とくに女子であれば、男子がいるときとか、男子であれば女子がいるとき）、それから、先生もいなくて仲のよい友だちだけのときでは、それぞれ話し方も話す話題も違ってくるでしょう。

このように、だれがまわりにいるか、だれに見られているかによって、生徒らしさを調節しながら行動しているところがあるのです。つまり、ドラマのように、ほかの人から期待されたことを、ある程度（もちろん「アドリブ」も含めて）演じるかのようにふるまっている。そういう部分があるのです。

そう考えると、「生徒である」とは、学校という舞台で「生徒という役」を演じていることだ、と見ることができます。

このような見方をとると、「生徒である」ことが、それほど、あたりまえではなくなってきます。というのも、生徒である状態は、ひとりひとりが生徒という役にはまって、それをこなしているかぎりにおいて成り立つものだ、ということがわかるからです。

別の言い方をすれば、「生徒になる」という段階を通って、あなたも「生徒である」ことができるのです。生徒になるといっても、私立中学の受験をして受かって、ある学校の「生徒になれた」という意味ではありません。生徒という地位にふさわしい、それに見合ったスタイルを身につけ、期待されている役をこなしていく。そういうふうに、だんだんと生徒らしくなっていくプロセスが必要だということです。

今の日本のように、だれもが長い間学校に行くようになった社会では、人は大人になるまでの大部分の時間を学校で過ごします。その間、だれもが「生徒」です。しかも、生徒という役を演じるのは、学校にいる間だけにかぎりません。学校の外にいても、「生徒である」ことを基準にふるまうようになります。道を歩いていても、家にいても、買い物に行っても、「中学生の私」がついてまわるのです。

しかも、生徒という地位には、それに特有の役割が与えられています。そして、その役割をうまく演じることを、まわりは期待します。多少アドリブで自分の個性を発揮したとしても、生徒という枠を越えて勝手なことをしたら、すぐにまわりからブレーキがかけられる。こうやって、幼稚園以来長い時間をかけて、生徒という役にはまっていくのです。それを、岩見和彦さんという社会学者は、「生徒化」（生徒らしくなっていくということ）と呼んでいます。

こうして子どもたちが生徒化することが、「生徒の世界」の一番もとのところにあるのです。

「生徒であること」・「自分であること」

このような生徒化を経験することによって、自分がまわりからどのように見られているか、どんなふるまいが期待されているのか、といったことについても、「生徒であること」がだんだんと重要になってきます。つまり、学校の生徒としてやるべきことや、生徒だからこそ関係してくることがらが、自分自身についての見方や評価となってくるのです。

たとえば、テストの点数がいいか悪いかといった判断が、自分がどんなふうに見られているかと関係する。生徒という役割には、学校で勉強することが重要な一部となっています。学校という舞台で、勉強という「演技」をすることが生徒という役には期待されているのです。ですから、その成果が自分の評価の一部となるのも、ある意味では当然といえます。

また、どんな部活に参加しているか、部活では何をしているか（レギュラーか補欠か）、部活の成績はどうか、といったことも、生徒であることから生まれる評価の一面です。あるいは、校則を守っているか（まじめかどうか）、先生との関係はどうかといったことも、生徒という役割から生まれる評価です。

問題は、このような生徒であることの評価が、学校の外でも「自分であること」の評価と結びつきやすいことにあります。自分の一つの面にすぎないことが、全体を評価するものとして広がっていく。勉強や部活の成績、校則の守り方といった生徒としての行動が、頭のよさとかスポーツの得意・不得意や特技、さらには性格のまじめさといった、もっと一般的な、学校以外の場所での自分の評価や見方にまで広げられる。そういうことが起こりやすいところに、生徒化されることの特徴があります。つまり、どんな生徒であるかが、自分であることの中心を占めるようになるのです。

生徒としての人間関係

中学生にとって、仲のよい友だちといえば、たいていは学校で知りあった友だちかもしれません。でも、ちょっと想像してみてください。もしも、学校での友だちと、学校以外の場所で知りあっていたら、どんな関係になっていたか。学校以外で知りあった友だちの場合を考えてみましょう。

学校とは関係ないところで知りあった友だちの場合、お互いをどのように見るか。どんな人だと思うか。学校でふだんつきあっている友だちとは、違うところに目がいきそうだと思いませんか。成績がどうかとか、部活は何かとか、クラスがどこかとか、他のクラスメートとの関係がどうかとか、こういったこととは関係なしに、お互いを見るのではないでしょうか。

こういう学校外の友だちとの関係と比べたときに、学校での友だち関係はどう違うのか。その違いを見ていくと、「生徒であること」から生まれる人間関係の特色がわかります。

仲のよい友だちである以上、気が合うか、話が合うかどうかは、大切なことです。と同時に、学校の友人関係の場合、どんな生徒であるか、ということが、お互いに相手をどう見るかの前提となってきます。何も、成績のことだけではありません。何年生か、どのクラスか、どの部活に入っているかといった、生徒であることにつきまといろいろなことがらが、友だち関係のつくり方に、かかわってくるのです。

もうひとつ、学校での人間関係の特色は、簡単に学校やクラスを変えられないところにあります。学校の外で知りあった友だちなら、気まずくなったときには会わなければよいでしょう。ところが、学校の友だちとなると、そうもいきません。いやでも顔を合わせなければならない場合が多いのです。いっしょにいる時間も長いでしょう。他のクラスメートとの関係も、その友だちとの関係に影響するでしょう。

これもみな、学校という舞台でのできごとなのです。

「みんないっしょ」の原則

それでは、生徒であることは学校での人間関係にどのような影響を与えるのでしょうか。

この問題を考えるために、生徒という役割を演じる「生徒化」、という見方をとってみましょう。そうすると何が見えてくるのか。

生徒化には互いに対立する二つの原則（もととなるルール）が入り込んでいる、と見ることができます。第一の原則は、学校の生徒であることが、「みんないっしょ」であることを求めることです。学校が集団生活の場であることは、前にも述べました。授業にしても、朝礼にしても、修学旅行や運動会などの行事にしても、生徒全員が「みんないっしょ」に同じことをするように求められる場面がたくさんあります。学校は、ほかの場所と比べて、みんながいっせいに何かをすることの多いところです。制服にしても、持ち物の規則にしても、「みんないっしょ」に見えるようなはたらきをしています。

さらに、「みんないっしょ」の原則には、みんなが協力することや、みんな仲よくすることが含まれます。いっせいに何かをするときにお互いに助け合うとか、いっしょにいる間、みんなが友だちになるといったことが期待されるのです。

仲よく、協力しあって、みんなでいっせいに何かをする。学校以外の場所だったら、これほど「みんないっしょ」であることは期待されません。ところが、学校では、「みんないっしょ」がいいことであり、生徒という役割には、この「みんないっしょ」

の原則が期待されるのです。

「ひとりひとり」の原則

この原則にしたがえば、生徒化は、ほかの人と同じように、ほかの人と協力しあって、「同じであること」を基本にした人間関係をつくりあげます。学校の中では、少なくとも表面上は、みんなと同じであること、みんなといっしょに何かをすること、みんなと仲よくすることが期待されるのです。「少なくとも表面上は」、といったのは、ドラマと同じように、本人が本当にその役通りに思っているかどうかは別だからです。それでも、形のうえではその役を演じることが期待されます。

しかし、生徒であることには、この「みんないっしょ」の原則と対立するもう一つの原則も含まれています。それは「ひとりひとり」の原則、と呼ぶことができます。

みんなでいっしょに授業を受け、いっしょに試験を受けても、成績はひとりひとりにつけられます。学校が勉強するところである以上、勉強の結果をひとりひとり別々に評価するということはさけられません。しかも、中学校のように、その成績がどの高校に入れるのかを決めるような場合、ひとりひとりにつけられる成績の意味はとても気になるものになってきます。卒業後の進路が、その成績によって分けられ、同級生の間でも、その結果、違う高校に行くようになるからです。

ところが、この「ひとりひとり」の原則は、明らかに「みんないっしょ」の原則とするどく対立します。一方では、みんなが同じであることを基本に、みんながいっしょに、仲よく、協力することが求められる。ところが他方では、ひとりごとに違う評価が行われ、その結果、ひとりひとり違う進路に分かれていく。しかも、「ひとりひとり」の原則のほうは、生徒がその役をどう演じるかというように、生徒の自由になるわけではありません。その役を受け入れても、受け入れなくても、学校から与えられてしまうものだからです。

もうひとつの「ひとりひとり」

「ひとりひとり」の原則は、先生が生徒一人ずつに成績の評価をしたり、生徒がそれに応じた卒業後の進路に進んだりすることだ、という話をしました。最近、これとは違うもうひとつの「ひとりひとり」の原則が強くなっています。「個性の尊重」と呼ばれる教育の考え方をもとにした原則です。生徒たちはそれぞれ違う個性（自分らしさ）をもっている。だから、それを大切にしようという考え方です。

この個性尊重をベースとした「ひとりひとり」の原則にしたがえば、それぞれの生徒の自分らしさをできるだけ生かそうということになります。生徒たちの意見を大切にする、生徒が自分で選んだことを尊重する、ひとりひとりの違いを認めるなど、勉強の成績以外の面でも、ひとりひとり違う扱いをしようというのです。

この、もうひとつの「ひとりひとり」の原則も、「みんないっしょ」の原則と対立します。ひとりひとりの違いを認めてしまうと、「同じであること」を基本に、みんなでいっしょに何かをやったり、協力し合うことがむずかしくなるからです。「私はこうしたい」「自分ならそんなことはやりたくない」といった生徒ひとりひとりの違いを大切にしたら、「みんないっしょ」にはできなくなります。ひとりひとりの違いを認めたうえで、なおかつ「みんないっしょ」をするのは、とてもむずかしいことなのです。

その意味では、最近の個性尊重をベースとした「ひとりひとり」の原則は、昔からの「生徒化」とは逆の方向を向いています。学校で集団生活をする生徒である以上、だれであれ「生徒である」という共通点をもとに、「みんないっしょ」にやってきた。ところが、今度は、もっと、ひとりひとり違った生徒になることが許されるのです。「ひとりひとり」を大切にすることが、どうやったら「みんないっしょ」と対立することなく、調和できるのか。このむずかしい問題が、中学生の人間関係のあり方に影響を与え、中学生の世界を複雑にしています。

「みんないっしょ」と「ひとりひとり」の対立

中学生の世界が複雑でむずかしくなるのは、これまでお話ししてきた、「みんないっしょ」の原則と「ひとりひとり」の原則とが、ほかの段階の学校に比べて、するどく対立してしまうからです。

小学校ではまだ、「ひとりひとり」の原則はそれほど生徒たちの人間関係に影響を及ぼしません。私立中学を受験する場合をのぞいて、成績で生徒たちが分けられてしまうこともほとんどありません。それに、もうひとつの「ひとりひとり」の原則を取り入れるのも、小学校では中学ほどむずかしくないでしょう。というのも、小学校の段階では、まだ先生のいうことに生徒たちも従いやすく、そのうえでひとりひとりを大切にしても、それほど自分勝手な行動にはなりにくいからです。

また、高校以上の学校段階でも、「みんないっしょ」の原則と「ひとりひとり」の原則とは、中学ほどするどく対立しません。高校以上になると、今度は「みんないっしょ」の原則が中学より弱くなり、「ひとりひとり」の原則を中心にできるからです。同じ生徒であっても、小学生なら「みんないっしょ」を中心にしていればよいし、高校なら「ひとりひとり」でやっていけるのです。

ところが、中学校は、この両方の原則が同じくらい重要なのです。義務教育の一部ですから、「みんないっしょ」も大切です。その一方で、高校進学に向けて、「ひとりひとり」の原則も重要となります。しかも、問題をもっとむずかしくしているのが、もうひとつの「ひとりひとり」の原則である「個性の尊重」です。「みんないっしょ」が強調される一方で、ひとりひとりの自分らしさも尊重しましょう、となるのです。

こうなると、どのように生徒としての役割を演じるのか。場面場面や、人それぞれで違ってきます。その結果、生徒になるという「生徒化」のプロセスも複雑になっていくのです。

生徒の演じ方（その1）——ほどほどのよい生徒

生徒らしさのなかに、「みんないっしょ」の原則と「ひとりひとり」の原則の対立があるという話をしました。だれもが同じルールのもとで、中学生という役割を演じることが期待されています。その一方で、勉強の成績にしろ、内申書の行動面や性格の評価にしろ、ひとりひとりの違いを発揮することも、生徒という役割に含まれています。しかも、昔に比べて、ひとりひとりの違い、つまり個性を発揮することを、もっと大事にしようということがいわれているのです。

このようないろいろな期待がうずまく中で、生徒としての役割をどのように演じるか。その演じ方が、生徒の世界をどのようなものにするのかを決めることになります。

先生の前や、それほど親しくないクラスメートの前では、「みんないっしょ」の原則を大事にする人もいるでしょう。校則をきちんと守る。クラスメートとも、仲よくふるまう。あまり目立たないように、みんなと同じようにふるまう場合です。

といって、このように生徒の役割を演じることは、かならずしも、まわりの友だちからけむたがられるほど、「まじめ」すぎる生徒になるというわけではありません。仲間から、先生にすり寄っていると思われるほど、先生に気に入られようと「いい生徒」を演じているわけでもない。いわば、ほどほどの「よい生徒」を演じている場合が多いのではないでしょうか。

このような場合には、自分が生徒という役割を演じる演じ方が、だれから、どのように見られているのかということが、関係してきます。自分の演技をだれにウケようと思っているのかが、演じ方に影響してくるということです。中学生として、「みんないっしょ」に、仲よく同じルールにしたがう場合も、先生や親からどう見られるかだけではなく、クラスメートや友だちからの視線が気になる。その気にするしかたによって、まじめすぎない「ほどほどのよい生徒」が誕生するのです。

生徒の演じ方（その2）——ガリ勉はいや

ところが、その一方で、見た目は同じに見える生徒でも、成績の面では、ひとりひとり違います。勉強の得意な生徒もいれば、得意でない生徒もいるのです。学校という世界では、勉強ができることはいいことだという考え方が広く認められています。ですから、成績のよしあしも、どのような生徒であるかを決める重要な側面です。その結果、勉強面での「ひとりひとり」の原則がはいってくると、「ほどほどのよい生徒」の世界も、「みんないっしょ」の一枚岩《いちまいいわ》ではなくなります。

しかし、ここでも、勉強の得意―不得意をどのように演じるか、さらには、その演技をだれに見てもらいたい（ウケたい）と思っているのかが、生徒の世界に影響してくるのです。

先生や親から見れば、とにかく勉強ができることはいいことだという考え方が強いでしょう。テストでいい点をとれば、それだけで「いい生徒」だと見なされることもあるでしょう。ところが、生徒同士の関係では、いい点数をとるだけではだめです。いい成績をとっていることが、どのようにほかの生徒たちから見られているのか。勉強の得意な生徒の演じ方が、大切になってくるからです。ガリガリ勉強した結果の一〇〇点は、友だちづきあいを犠牲《ぎせい》にしない結果の八〇点よりも、価値が低いことだって生徒の世界ではあるのです。

反対に、点数が悪い場合でも、ほかの生徒からどのように見られているのか——いいかえれば、勉強の不得意な生徒をどのように演じているのかが、生徒の世界では重要となります。「頭が悪い」と見られるのか。「部活をやってるからしょうがない」と見られるのか。「ふまじめ」と見られるのか。観客の反応が意識されるのです。

生徒の演じ方（その3）——わがままと個性

ところが、最近の教育界では、これまでの勉強一辺倒《いっぺんとう》の評価ではいけないという反省から、生徒ひとりひとりの違いをもっと大切にしようということがいわれるようになりました。先生がこれまで考えてきた「よい生徒」のイメージを一方的に生徒に押しつけるのではなく、いろいろな「よい面」をひとりひとりの生徒の中に見つけていこう、というのです。生徒の側から見れば、「みんないっしょ」の原則が少しずつ弱まっていると感じられるかもしれません。

髪形や服装、持ち物など、以前であれば、ちょっとした校則違反でもきびしく注意されたのが、生徒ひとりひとりを大切にという「個性尊重」の原則が入ってきたことで、ある程度許されるようになる。頭ごなしにしかるのではなく、生徒の意見に耳を傾けるようになる。さらには、勉強以外でもどんな得意なことがあるのかを評価しようとする、など。「みんないっしょ」の原則や勉強面での「ひとりひとり」の原則から生徒を見ていた先生も、だんだんと生徒の見方を変えようとしているのです。

ところが、生徒という役割に何を期待するのか、その中身を変えることは簡単ではありません。ひとりひとりを大切にする「個性重視」をどうやって実行するのか、先生にしても、まだよくわかっているわけではありません。

生徒の自分らしさを認めることと、わがままを許すこととの違いは何か。生徒の意見に耳を傾けることと、生徒のいいなりになることとはどう違うのか。観客である先生が生徒の演技をどう見るか、その見方が変わることで、先生と生徒との関係も少しずつ変化してきます。

ムカつく・キレる

これまでのポイントは、生徒の世界といっても、生徒それぞれが勝手につくり出している世界ではないということです。それぞれの中学生が、生徒という役割を演じるときに、どのような観客に囲まれているか。どの観客にウケようと思っているか。つまり、どのように見られているのかということも、生徒の世界に影響を与えているのです。

このように、どう見られているかを気にするようになるのは、成長の結果ともいえます。中学生くらいになると、人からどう見られているか、どう思われているのかが気になります。と同時に、生徒という役割を演じている自分と、自分そのものとがまったく同じではないことにも気づくようになります。そして、自分と自分の演じる役割との関係がある程度わかるようになることで、いろいろな感情も芽生《めば》えてきます。

ムカつくとか、キレるもそうです。どちらも、生徒という役割を演じているときに、その役割と自分自身とがズレてしまった場合の感情ではないかと、私は考えています。生徒として○○すべきだ、という役割がある。つまり、その役割を演じることがまわりから期待されている。もちろん、本人もそのことを十分に知っています。わかっているからこそ、自分の気持ちとは関係なく、その役割をさらに無理やり押しつけられたり、演技が不十分だといわれたときに、ムカつくのです。

キレるほうは、そういう役割をもうほうり投げてしまいたくなる気持ちでしょう。たとえていえば、「もう、この役おりた」といって、役者が、衣装を脱ぎ捨てて舞台をおりてしまいたくなるような場合です。しかし、たいていの場合は、実際におりることは簡単ではありません。そのシーンだけはおりることができたとしても、つぎのシーンではまた、生徒という役割にもどらなければならないことが多いのです。それがわかっているから、キレそうなことはよくあっても、本当にキレることは少ないのです。

大人の世界の変化

一九九七年から九八年にかけて、新聞やテレビで注目される中学生の事件が続発しました。ムカつく、キレるといった言葉から、中学生全体が荒れているかのような報道がなされました。「ストレスのせいだ」とか「テレビゲームの影響だ」といった説明もしばしば耳にします。二〇〇〇年以後も中学生や高校生の事件が続いています。最近の中学生は凶暴になったといわれますが、実際には、昔も同じような事件がありました。中学生が警官を襲ったり、強盗《ごうとう》をしたりするといったことは、昔もありました。数のうえでも、凶悪犯（殺人、強盗、放火、強姦《ごうかん》）で捕まった少年は、一九六五年には七二四三人、一九七五年には二二五〇人、一九八〇年には一九三〇人でしたが、一九九五年には一二九一人、九六年には一四九六人と、その数は大きく減少しました。そして、二〇〇〇年には二二一〇人と再度二〇〇〇人を上回り、増加の傾向を示しました。それでも、昔に比べて、凶悪な犯罪を犯す青少年の数が極端に多くなったという証拠はないのです。これは、少年全体の人口の変化を考えに入れても同じです。

それに、ストレスという言葉はありませんでしたが、どの時代の中学生も今と同じようなプレッシャーを感じていたと思います。また、テレビゲームでなくても、テレビやマンガに暴力シーンはつきものでした。そういう意味で、生徒の世界が大きく変わったのかどうか疑問です。

むしろ変化したのは、大人の世界ではないのか。そのような変化には、つぎのようなものがあります。

一つは、生徒の理解が教育の基本といわれるようになりました。その結果、理解してもらえないと生徒も不満に思う。また、生徒理解が大事だといわれることで、生徒を理解できないことが先生にとっても問題となるようになりました。

もうひとつは、きびしい指導ができなくなったことです。一昔前まではめずらしくなかった体罰《たいばつ》が、今では禁止されています。力ずくで生徒を押さえつけようとする教育は、強く否定されているのです。しかも、生徒の個性尊重が求められています。多少のわがままや自分勝手も、個性のあらわれと見なされます。そうした生徒ひとりひとりの違いを尊重することが、今の学校には求められているのです。こうなると、生徒理解を基本に、言葉や理屈でわからせる指導が中心となります。

理屈が十分でなくても、いうことを聞かなければならないほど教師の力が強かった時代には、生徒も逆らえませんでした。逆らっても、悪いのは生徒だと見なされました。ところが、理屈の理解が前提となれば、理屈の通らない指導に生徒がムカつくのもしかたないといった見方がでてきます。しかも、学校には、制服についての規則のように理屈の通らないルールがどうしても残るのです。

さらに、生徒が問題を起こしたときに、それは教師が生徒を理解していないためだ、という社会の見方も広がりました。学校での教育がうまくいっていないから、教師がしっかりしていないから、生徒たちが問題を起こすのだという見方が広まっているのです。いろいろな事件が起きても、マスコミから非難されるのは問題を起こした生徒よりも、学校や教師である場合が少なくありません。生徒のわがままは個性として尊重され、先生の強い指導は、管理教育として批判される。こうして、教師と生徒の力の逆転が起きています。いわば、大人の世界で生じている変化が、生徒の世界に影響しているのです。

その結果、先生たちの権威を無条件で受け入れる生徒が少なくなっていったと考えられます。先生の言うことをともかく聞いておいたほうがいい、と単純に考える生徒が減ってきたのです。そうだとすれば、ストレスがあろうとなかろうと、テレビゲームの影響があろうとなかろうと、学校の中の秩序を保つことは昔よりむずかしくなります。

仲間外れの恐怖

とはいえ、すこし気になる生徒の世界の変化もあります。大人たちからどう見られるかということがそれほど重要でなくなる一方で、生徒同士、お互いにどう見られるのかが、中学生にとって昔以上に重要になってきているのではないか、という気がするからです。つまり、生徒という役割を演じるうえで、ほかの生徒を一番重要な観客であるとする見方が強まっているということです。

しかも、いじめが問題とされるようになった結果、生徒たちの間でも、実際にいじめがあるかどうかとは関係なく、いじめの恐怖が広がったのではないか。ほかの生徒からどう見られるかが大事になるのも、変なふうに見られて仲間外《はず》れにされないか、という不安が生まれているからだと思うのです。お互い、仲よく「みんないっしょ」

の原則にしたがいながらも、ちょっとした拍子に「みんないっしょ」から外されてしまわないか、という不安です。「みんな仲よく、協力して」という「みんないっしょ」の原則が学校で期待されればされるほど、その「みんな」から外れることが恐ろしく思えてくるのです。

こういう不安のある関係の中では、だれかがちょっと悪いことをしても、それを互いに注意したり、やめさせることはむずかしいと感じられるようになるでしょう。「自分だけイイ子ぶって」と見なされて、仲間外れにされるかもしれないからです。

一度こういう関係ができると、生徒ひとりひとりはいいこと、悪いことの区別ができても、集団全体としてはその区別の実行がむずかしくなります。まじめすぎるよりも、「ほどほど」の生徒の役割を演じることが安全だと思えるようになり、集団の力が個人の力に勝ってしまうからです。

日本の学校は、「みんな仲よく」を基本に、生徒ひとりひとりに対してではなく、複数の生徒を集めた集団の力を利用して教育を行ってきました。だからこそ、外国に比べ一クラスの人数が多少多くても、何とか教育ができたのです。アメリカのように一クラスが三〇人以下なら先生の目も行き届きます。しかも、アメリカの学校にはカウンセラーのような生徒の相談相手を専門にする人が必ずいます。それに対し、一クラスに三十数人近い生徒がいる日本の学校では、先生の目がひとりひとりの生徒に十分届くことはむずかしいのです。それをカバーしてきたのが、生徒の集団の力を利用することでした。ところが、皮肉なことに、この集団の力が、思わぬ方向に向かいだしたのです。それだけに、日本の学校のいじめ問題は、学校のあり方と深いところで結びついているのではないかと、私は見ています。

こういう生徒の世界をどうすれば変えていけるのか。実は、私にもその答えはよくわかりません。ただ、「ひとりひとり」の原則と「みんないっしょ」の原則をどうやってうまく学校という場の中におさめていくか、この問題を解くことが、鍵《かぎ》になりそうな気がします。そして、中学生自身が、「生徒の世界」がどのようにできているのかを自分たちなりに考えていくこと。そういう理解をもとに、自分たち自身の世界とどのように向き合っていくのか。先生や大人が問題を解決してくれると考えるのではなく、生徒自身の取り組みも大事になってくると思うのです。

第8章

学校と社会のつながり

「学歴社会」と学校

これまで、「学校って何だろう」をテーマに、いっしょに考えてきました。「なぜ勉強するのか」の話に始まり、試験、校則、教科書と知識、隠れたカリキュラム、そして先生の世界、生徒の世界。それぞれのテーマごとに学校の中で「あたりまえ」と思われていることに疑いの目を向け、「学校って何なのか」を考えてきたわけです。

ところで、これまでもときどき触れたように、学校でのできごとは、学校の外の「社会」と関係なしに起きているわけではありません。中学生の立場からは見えない学校の外で、いろいろなことが決められたり、さまざまな期待が学校にかけられたりしています。あなた自身の学校での行動も、知らず知らずのうちに社会からの影響を受けていることが少なくないのです。

その反対に、社会のせいで学校ではこうしなければいけないと思われていることの中に、実際にはそれほど社会からしばられているわけではないこともあります。

そこで最後の章では、学校と社会とのつながりについて考えていきたいと思います。とくに取り上げたいテーマは、「学歴社会」と学校の関係です。

学歴社会という言葉を知っていますか。「日本は学歴社会だ」とか「学歴社会だから受験競争が起きる」といったことをあなたも聞いたことがあるでしょう。なるほど、学歴社会と呼ばれる社会のあり方が、学校でのいろいろなできごとに影響を及ぼしているといわれます。なぜ学校ではいい成績をとらなければならないのか、試験の点数によってうれしくなったり、がっかりするのはどうしてか。少しでもランクの高い高校に入ることがいいことだと思われているのはなぜか。こういうことのバックに学歴社会がある、という見方があります。

でも、学歴社会って、本当はどうなっているのか。学歴社会と学校の関係はどのようなものか。学校と社会のつながりを考えるために、学歴社会の話をはじめます。

受験のプレッシャー

今の中学生はストレスがたまっているといわれます。ストレスの原因として「受験」があげられることがあります。少しでもいい点数をめざしたり、テストの成績で友だちとの区別がつけられたりと、なるほど「受験競争」のまっただ中にいる中学生がストレスを感じるというのもうなずけます。中学校の教育問題というと、校則とならんで、きまって高校受験の問題が指摘されるのもよくあることです。そして、こういう受験競争のバックにあるのが、「学歴社会」だとされているのです。

でも、どうして、ストレスを感じるほど、いい点数をめざすのでしょうか。いろいろな評価がある中で、学校ではなぜ、成績が重視されるのか。こういう学校の中のできごとと、学歴社会との関係はどうなっているのか。

常識的な答えは、こんなふうになるでしょう。テストでいい点をとれば内申書もよくなるし、いい高校を受けられる。そして、いい高校に入れれば、いい大学に入れる確率も高くなる。そうなれば、いい会社に入って、昇進もできるだろう。というのも、日本では本人の実力よりも学歴のほうが重視されているからだ。サラリーマン以外の世界でも、医者や弁護士、ニュースキャスターなどになるには、やっぱり大学を出ていなければならない。そのためにはいい高校に入る必要がある、と。

簡単にいえば、「いい成績→いい高校→いい大学→いい職業→いい生活」という関係が見込まれているのです。もちろん、みんながみんな一番いい高校や大学をめざしているわけではないでしょう。それでも、ベストでなくても、少しでもいい（ベターな）学校に入れれば、少しでもいい（ベターな）将来につながる、という考えをもつ人は少なくないでしょう。

問題は、それぞれの矢印でつながった関係が、どれくらい本当のことか。そして、学校のなかにいると、その関係がどのように見えてしまうのか、ということです。

学校は虫メガネ

もうだいぶ昔のことになってしまいましたが、一九八〇年代半ばに、当時の中学生にアンケートに答えてもらったことがあります。その中で、将来あなたは「お金持ちになれると思いますか」とか、「医者や弁護士になれると思いますか」とか、「幸せな家庭をもてると思いますか」といった質問に、それぞれどれくらいできると思うかを答えてもらいました。あなたなら、どう答えるでしょう。

質問への答えがどうなっているのかを、コンピュータを使って調べました。私が一番知りたかったのは、学校での成績によって、質問への答え方がどのように違ってくるのかでした。学校の成績が高い生徒と低い生徒とでは、自分の将来についての見方に、どのような違いがあるのかを調べようとしたのです。

調べてみると、予想通り、「自分の将来をどう見ているか」と学校の成績とが関係していることがわかりました。以前より成績がよくなってきている生徒ほど、「医者や弁護士になれる」とか、「大きな会社の重役になれる」と思うようになり、反対に、成績が下がると、こうしたことができないと思うようになることがわかったのです。なるほど、医者や弁護士になるためには、国家試験に受からなければなりません。

その試験が非常にむずかしいものであることは、きっと話に聞いたことがあるでしょう。それなら、よい大学に入る必要があるでしょう。中学生が自分の成績にしたがって、こう判断したとしてもそれほど不思議はないかもしれません。

ところが、驚いたことに、医者や弁護士とか、大きな会社の重役になれるかどうかだけではなく、当時の中学生の多くが、もっとほかのことができると思うかどうかも、成績と関係していると見ていたのでした。たとえば、「幸せな家庭をもてる」とか、「職人や、コック、大工《だいく》になれる」といったことまで、成績の上がった生徒は、できると思うようになり、下がった生徒はできないと思うようになることがわかったのです。

でも、どうして成績が上がると、「幸せな家庭をもてる」とか、「職人や、コック、大工になれる」と思うようになるのでしょうか。反対に、成績が下がった生徒が、そうとは思えなくなるのはなぜでしょうか。

私が驚いたのは、職人の世界に、中学校での成績が関係しているとは思えなかったからです。職人やコックとしてのウデのよさは、学校の成績でははかれないのではないか。そう思っていましたから、中学生の多くが、成績の上下によって、こういうことまで「できる―できない」と思ってしまうのが不思議に見えたのです。

これはずいぶん前に行ったアンケートですから、今の中学生にはあてはまらないのかもしれません。それでも、この研究を紹介したのは、ここに学校と社会のつながりを考える大事なヒントが含まれていると思ったからです。

そのヒントとは、「日本の学校は虫メガネだ」、という考えです。虫メガネは、モノを拡大して見せます。本当のモノの大きさよりも大きく見せるのが虫メガネだとすると、学校も、社会でのできごとを実際以上に大きく見せているのではないか、と思うのです。

これとは逆のことが、アメリカの学校などでは起きているようです。アメリカでは、学校での成績に関係なく、多くの子どもがいろいろなことに強い自信をもっています。将来の成功についても、成績などあまり関係なく、夢を思い描いているような傾向さえあるのです。たぶん、子どもをほめて自信をつけさせることがアメリカの学校ではいいことだと信じられているからでしょう。むしろ、本当はかないそうもない夢でも、その夢をつぶさないであげようという大人たちの配慮がはたらいているのです。それだけに、社会に出るときに、自分が本当はどれくらいのことができるのか正確にわからないまま、夢だけ追い続けてしまう若者たちがでてきて、いろいろ仕事を変えたり、学校にもどってはまたやめたりといった試行錯誤《しこうさくご》を繰り返すことも少なくありません。

このようなアメリカと正反対なのが、八〇年代の日本の子どもたちだったのかもしれません。ともかく、学校の成績によって、自分の将来がどのようなものになるのか、とても見えやすかったのが日本の学校の特徴だったといえるのです。

しかし、実際の大人の世界で、中学校の成績がよかったものほど、職人としてすぐれているかどうか。まったく関係がないとはいいきれませんが、成績が直接関係していると見るのもまちがいでしょう。ところが、学校という世界にいると、成績がよいか悪いかによって、実際よりもおおげさに、将来の可能性が判断されてしまうことがあったのです。

「幸せな家庭をもてる」も同じです。いい大学、いい会社に入ったからといって、家庭生活が幸せなものになるかどうかはわかりません。給料が高くても、忙しすぎて家族と過ごす時間がなくなっては、「幸せな家庭」といえるかどうか。それでも、学校の中から見ると、ものごとが実物大より大きく見えてしまうのです。ただし、今の日本の学校では、アメリカのように子どもたちの夢を簡単につぶすことは少なくなっているようです。そのことがかえって、進路選びをむずかしくしているということもあるようです。

学歴は有効か

学校という場所が、「虫メガネ」のように、実際の社会で起こっていることを拡大して見せているのではないか。でも、本当に虫メガネのように拡大しているのかどうかを知るためには、社会で何が起きているのかを見なければなりません。学歴が、どの程度将来の生活を左右するのか。どんな学校を出たかによって、将来、何かになれたり、なれなかったりするのか。また、それはどの程度、本当のことなのか。

教育の経済学とか、教育の社会学と呼ばれる研究があります。これらの分野では、学歴がどのように人びとの就職や昇進、給料の額などに影響しているのかを調べてきました。ここでは、そういう研究の結果を、なるべくわかりやすく紹介したいと思います。

はじめに、給料などのお金の面で、学歴がどれくらいの影響力をもっているのかを見ることにしましょう。野村證券金融経済研究所が二〇〇三年の厚生労働省の統計を用いて試算した結果によると、もしもある人が大学を出て、ある企業に入って一生そこで勤めた場合、男の人だと合計で二億七五〇〇万円くらいの所得になるといいます。一生働いたとき月給とボーナスなどを全部含めて、平均すれば三億円近くのお金がかせげるということです。

それでは、高校を出てすぐに就職した場合はどうでしょうか。この場合だと、大学出の人よりも四年分（つまり大学に行っていない期間だけ）長く勤めることになります。ですが、大学出の人より給料も少し安くなりますから、一生働いた合計は二億二〇〇〇万円くらいです。つまり、大卒と高卒との間には五三〇〇万円の差があるのです。

四〇年近く働きつづけた差の五三〇〇万円。一年あたり一三〇万円の違い。問題は、この差を大きいと見るかどうかです。

ちなみに、大学を出てもフリーターのままだと六〇歳までに五三〇〇万円しかかせげないこともわかっています。高卒で正社員になるよりはるかに低くなってしまうのです。

大学の違い

でも、高校を出てすぐ働くかどうかより、どの大学を出て働くか、ということのほうが興味がある、という人も多いでしょう。

この問題を岩村美智恵さんの研究（「高等教育の私的収益率」）をもとに見ましょう。

岩村さんは、一生涯にどれだけお金をかせぐか、という問題を、ちょうど銀行の預金につく利子の大きさのように測ろうとしました。銀行に一〇〇万円預けたときに一年間に何パーセントの利子がつくのかと同じように、大学に行くことでかかるいろいろな費用の合計を元手と考えて、大学を出たことで高校だけの人に比べて、どれくらい得をするのかを計算したのです。

あなたも、お年玉でもらったおこづかいなどを、銀行に預けたことはありませんか。銀行に預けると、一年後には、預けたお金に利子というものがつきます。一万円預けたのが、一万円と二〇〇円くらいになるというときには、一万円が元手で、この二〇〇円が利子、そして一年間に二％の利子がついたといえるのです。いいかえれば、一万円を投資して、一年間で二〇〇円もうかったというのと同じです。

これと同じように、大学に行くのにかかるお金を、将来への投資と考えるのです。実際に、大学に行くにはお金がかかります。授業料や教科書代などは、高校だけで働きに出ていたらかからないお金です。さらに、もし大学に行かずに高校を卒業してすぐに働きに出たら、大学に行っている四年間にどれだけの給料がもらえるのかも、大学にかかるお金（費用）と考えます（この合計は、高卒の人が入社後四年間でいくらの給料をもらっているのかで計算します。ただし、食費などは、高校を出て働いている人も大学に行っている人も同じようにかかると考えてここには含めません）。

そして、この大学に行くことでかかる費用全体を元手と考えたときに、高卒の人に比べて一生涯にどれくらい得をするのか。大卒の人と高卒の人がもらえるお金の差を、大学に行ったことで得をした分と考えるのです。しかも、この得をした分の金額を、先ほどの貯金のときの一万円に対する二〇〇円の利子のように見なして、何パーセントの利子がついたのかを計算します。このへんは、専門的でちょっとむずかしい話なので、どうやって計算するのか、どうしてそうなるのか、よくわからなければそれでけっこうです。ただ、この後の話のポイントをつかめればいいのです。

さて、計算の結果、大学に行くと、だいたい八％の利子をもらえる貯金と同じくらいの効果があることがわかりました。大学に行くのに四年間で二〇〇〇万円くらいかかったとすると（ここには、大学に行かずに高校だけで働きに出たときの給料の合計も入っています）、その二〇〇〇万円に対して毎年八％の利子がつくというのです。

さて問題は、どの大学に行くのかによって、どれくらいの違いが生じるかです。岩村さんの場合は、大学を、入試の偏差値で区別しました。偏差値だけで大学の値打ちが決まるわけではありませんが、一般的にいって、偏差値が高いほど、入るのがむずかしい大学とみていいでしょう。

すると、偏差値七〇くらいの大学（一橋や慶応の経済学部など）を出た場合には、毎年一〇%くらいの利子と同じくらいの得をすることがわかりました。それに対して、偏差値が六〇前後の大学だと、八～九%くらいになるというのです。偏差値が一〇近く違う大学で、その差は一～二%（つまり、毎年約二〇～四〇万円少なくなる）です。もちろん、ここでも、問題はこの違いを大きいと見るかどうかです。

男女の違い

実は、これまでの話で触れなかった大事な問題があります。それは、男女の違いです。

少し前の時点での統計になりますが、矢野眞和《やのまさかず》さんの研究によれば、四年制大学を卒業して同じようにずっと働きつづけたとしても、一生の間にかせげるお金の額には、男女で大きな違いがあります。矢野さんのデータだと、男性の場合が二億七〇〇〇万円であるのに対し、女性だと二億一〇〇〇万円くらいになってしまうのです（『試験の時代の終焉』有信堂高文社）。もちろん、これは途中で仕事をやめた女性をのぞいた場合で、ずっと勤めつづけた女性の額です。同じようにがんばって勉強して大学に入っても、女性の場合だと男性の八割にも満たない金額しかもらえないのです。

これは十数年前の研究ですから、あなたが大人になるころには、男女の平等はもっと進んでいるかもしれません。それでも、この結果は、学歴社会と学校の関係について、重要な事実をつきつけています。

学校では、男女の区別なく、いい成績をあげ、いい学校に行くことがよいとされています。ところが、実際に社会に出てみると、男女は平等ではない。男性も女性もまったく区別なく働くことのできる職業や職場もありますが、とくに多くの人が勤めることになる企業社会では、まだまだ男女の違いが大きいのです。この男女差を見るだけでも、学歴社会だから、がんばって勉強すれば、将来いい生活ができるという見方に疑問が出てくるでしょう。

ついでに紹介すると、高校だけで働いた場合には、男性なら一生で二億円の所得を得られるのに、女性だと一億三〇〇〇万円程度です。女性は男性の六三％にすぎません。高卒のほうが大卒の男女間の違いと比べて男女差が大きいのです。それから、男性の高卒と女性の大卒がそれほど違わないこともわかるでしょう。

本当に、これでも学歴社会と呼べるのか。疑問が残ります。

肩書きだけでは通用しない

学歴社会という言葉から連想されるのは、いい学校を卒業すればいい職業につけたり、給料もよくなったりするということでしょうか。ところが、学歴の影響がどれだけ大きいのかは、それほどはっきりしたものではありません。そのうえ、学校の中では男女の区別なく、成績の評価が行われたり、勉強が大事なことが強調されているのに、実際に社会に出ると、学校とは異なり、男か女かによってもらえる給料にも、どんな仕事をまかされるのかにも違いが出てくるのです。

なるほど、高校だけで就職するか、それとも大学まで行くかどうか、さらにはどんな大学を卒業したのかによって、定年まで勤めたときの給料のトータルが違ってきたりします。けれども、このような違いが、どの学校を卒業しているかという「肩書き」だけで決まっているとはかぎりません。いい学校に入学できれば、それで自動的に将来が保証されるわけではないのです。

たしかに、どの大学を卒業したかによって、どのような会社に入れるかというチャンスが違ってくるのは事実です。私が行った調査でも、偏差値が七〇くらいの大学の卒業生のほとんどが大企業に就職しているのに対し、偏差値五〇くらいの大学だと、大企業に入る人はだいたい半分くらいになります。会社に入るまでのことについていえば、なるほど、いい学校を出ていることで有利になるのです。

しかし、いい会社に入れたからといって、自分の学歴を肩書きに楽に昇進できるかというと、そうではないのです。竹内洋《よう》さんの研究によれば、東大や京大、早稲田、慶応などのいわゆる一流大学を卒業している人が大企業に就職した場合、大学を出てから二〇年たった時点で、課長以上までに昇進できた人は四〇%くらいにとどまります。もちろん、この数字は、ほかの大学の卒業生よりは若干大きいのですが、それででも、約六割の一流大学の卒業生は、大企業に入って二〇年働いて四〇歳を過ぎた時点でも、課長まで昇進していないのです。〇〇大学卒の肩書きだけで通用するほど、企業社会はなまやさしくありません。やはり、学歴に見合った「実力」が必要なのです。

「生まれ」と学歴

学歴社会というと、どの学校を出たのかによって、社会での扱いが違うことに目が向けられます。学歴によって「差別」が行われるのを批判することも、学歴社会という社会のとらえ方に含まれています。しかし、別の見方をすると、学歴社会とは、どんな学校を出たかによって、身分や家柄に関係なく、学校でいい成績さえとれば、社会で成功できるという見方を含んでいます。つまり、どんな家庭に生まれたかによらず、本人の努力や能力しだいで成功への道が開かれる社会だという見方もできるのです。だからこそ、いい学校に入ろうと、がんばる人がたくさん出てきて、それだけ競争もはげしくなるのです。

江戸時代のように、生まれた家の身分によって、自分の将来が決まってしまうのであれば、だれも成功をめざしてがんばろうとはしなくなるでしょう。あるいは、少し前までのイギリスやフランスなどのヨーロッパ社会のように、親の職業によって、どのレベルまでの学歴をとったらよいのかがある程度見通せる社会であれば、親が工場の労働者であるような家庭の子どもは、それほど学校でがんばろうとしなくなります。「生まれ」によって、どんな将来が待ち受けているのかが見通せてしまう社会では、たくさんの人びとがより高い学歴をめざして競争しあうことが起こらないのです。

その意味でいえば、学歴社会というのは、だれもに成功の道が開かれていると、おおぜいの人たちが信じている社会であるといえるのです。なるほど、日本で受験競争がはげしくなるのは、このように信じる人がたくさんいるからだ、ということがいえるのかもしれません。ところが、問題は、このようにどんな家庭に生まれるかにかかわらず、学校でいい成績をあげれば、社会に出てからも成功できるという見方が正しいかどうかです。だれでも、自分ががんばりさえすれば、学校でいい成績をあげて、入学試験に受かって、いい大学に入れるのか。それとも、「生まれ」の影響が残るのか。それが問題です。

「生まれ」と成績

父親がどんな仕事をしているか。また、両親が大学や短大を出ているかどうか。こういう家庭の違いが、中学時代の成績とどのような関係にあるのかを調べたことがあります。しかも、一九五〇年代の初めころから一九九〇年近くまでのおよそ四〇年間に、家庭の違いと成績との関係が強くなっているのか、弱くなったのかを、いろいろな研究を集めて、調べてみたのです。

調べてみてわかったのは、一九五〇年代からずっと、親の職業や学歴によって、子どもの中学時代の成績には大きな違いがあるということでした。親が医者や弁護士、教師などの専門的な仕事をしていたり、会社の課長や部長などの管理職についていたり、大学や短大を出ているような家庭に育った子どもほど、中学校のときの成績がよいという結果が出てきたのです。

「生まれ」によらず、だれでもがんばって勉強して、いい学校に入れれば社会で成功できるというのが、学歴社会を支えた考え方でした。ところが、実際には、どんな家庭に生まれるかによって、学校での成績に差が出てくるのです。もちろん、医者の家に生まれたら何もしなくてもいい成績がとれるということではありません。たぶん、こういう家庭では、子どもの育て方や幼いときのまわりの環境などに違いがあり、そういう違いが、勉強のしかたや勉強についての考え方、さらには理解のしかたなどにあらわれるのではないか、と思います。それだけで成績がすべて決まってしまうわけではないのですが、本人の努力とならんで、家庭の影響も成績を決める大きな力をもっているのです。しかも、九〇年代をはさんで、どのような家庭で生まれ育つかによる成績への影響が近年、より強まっているという研究もあります。

こういう事実は、うすうすとは感じていても、表だって論じられるものではありません。むしろ、マスコミや教育関係者の間では、こういう事実にはあまり触れないでおこうという見方が強かったと思います。それでは、こういう事実をどう考えるか。

選べることと選べないこと

どのような家庭に生まれ育つかによって、学校での成績に違いが出てくる。といっても、もちろん、それだけで成績が決まるわけではありません。ですが、どのような家庭に生まれるかによって、本人の能力にしても、どれだけがんばろうとするかという意欲にしても、親からのはげましや期待にしても、ある程度の違いが生まれていることはどうやら否定できないようです。

ところで、私たちは、どのような親のもとに生まれるのかを選べるわけではありません。たまたまある家庭の子どもとして生まれてくるのであって、親はもちろんのこと、子どものころに育つ環境も自分では選べないのです。

このように、自分では選べないことが、学校での成績に影響してしまう。このような話をしたのは、自分では決められない運命のようなものがあるから、がんばってもムダだといいたいのではありません。そうではなく、自分では選べないことによって、自分がどれだけ恵まれた環境を与えられているのか、そういうことに気づいてほしいのです。

どんな時代になっても、政治家や官僚、大きな会社の重役たちが、ワイロのやりとりや談合、その他の不正な取引や情報隠しなどで逮捕される事件が起こります。これらの人たちの多くは、恵まれた家庭に育ち、学校の成績もよく、そして、社会的にも高い地位についた人たちです。しかし、こういう人たちが問題を起こしてしまうのは、自分が選んだわけではない恵まれた環境や立場を、悪用しているといえるのかもしれません。いい学校に入学できたのは、自分が一生懸命受験勉強をしたせいだけではありません。受験勉強が許される境遇にあったことも、学校での勉強で有利になる家庭に育ったことも、見えないところで貢献しているのです。

ところが、個人の努力が強調される日本の社会では、どんな家庭に生まれたかではなく、自分がどれだけがんばったのかが、成功のもとだと考えられています。それだけ、自分の成功を自分だけのものだと考えやすいのです。しかし、実際には、どんな家庭に生まれたかが、学校での成功にある程度影響しています。自分で選んだわけではないことで自分が有利になったときに、そのことをどのように考えるのか。そういう自覚が弱くなってしまうと、自分の力だけで社会での高い地位につけたと思ってしまうのでしょう。自分でつかんだわけではない幸運に、どれだけ責任をもつのか。そういう意識が弱くなったとき、いいかえれば、自分の力だけでその地位につけたと思うようになったときに、こういう問題が起こりやすいのではないでしょうか。

自分で選べないことの責任をどう考えるのか。恵まれた環境にある人ほど、そういう自覚が必要だと思うのです。

世界の中の日本の中学生

自分で選んだわけではない、恵まれた環境で育ったことをどのように考えるか。そんなこと自分には関係がない、と思う人もいるでしょう。うちは、とくにお金持ちでもないし、父親もサラリーマンで、有名大学を卒業しているわけではないし……。ですが、もっと目を広げてみると、今の時代に日本の中学生として生きていること自体、とても恵まれたことなのです。

幼稚園から大学まで、日本で一年間で学校教育に使われるお金は総額でおよそ二六兆円になります（ただし、ここには家庭が払う塾などの金額は含まれていません）。これは、幼稚園児から大学院の学生までの生徒に、年間で一人約一三〇万円ずつ使っている計算になります。「なあんだ、一三〇万円か」と思う人もいるかもしれません。しかし、この金額は、世界の中に位置づけてみると、とてつもなく大きな額であることがわかります。たとえば、世界には現在二〇〇近い国があります。その中で、国民一人あたりのGNP（簡単にいえば、一年間に国民一人が平均してどれだけの富を得ているか）が、この一三〇万円という金額を上回る国は、わずか四十数カ国にすぎません。これは、教育にかけるお金ではなく、その国全体の富の大きさを人口で割った金額と比較したものです。つまり、日本の子どもや若者一人が一年間に学校に行くためだけに使っている教育費は、世界中の約一五〇の国の人びとが一年間に得ている一人あたりの富の大きさよりも多いのです。しかも、子どもだけに注目しても、学校はおろか予防接種が受けられないために病気などで死んでいく子どもが世界中で毎年一二〇〇万人もいるといわれているのです。

このような目で見直してみると、毎年二六兆円も使って運営される日本の学校とは、いったい何なのでしょうか。ほとんどの子どもが二〇歳くらいまで学校に行ける日本のような国は、本当に恵まれたごく一部の国にすぎません。その国の中の中学校に通うあなたは、世界中の子どもから見れば、ほんの一握りの恵まれた存在です。

もちろん、親を選べないように、どの時代の、どの国の子どもに生まれるのかも選べません。この選べない「偶然」にどれだけの責任を感じるか。二六兆円ものお金が使われる学校という世界で、何を学び、何を身につけたらよいのか。

一生懸命勉強して、いい学校に入って、幸せな生活をめざすことがいけないとはいえません。ですが、そういう恵まれた立場にあると考えたときに、日本の中学生が学ぶべきことは、もっとたくさんあるのではないでしょうか。自分に何ができるのか。学校という世界をどのように利用して、自分にできることを増やしていくのか。それは、人から教えられることではなく、自分の目でしっかりと世界を見て、自分の頭で考えはじめたときにわかってくるはずです。

おわりに

これまで、学校とは何かをいっしょに考えてきました。最後は、世界の中の日本の中学生という、ちょっと大きな話になったかもしれません。

ここまで、この本を読んでくれた読者の中には、「学校についてのいろいろなものの見方は少しはわかったけれど、でも、それでは、どうしたらいいのか」という、ちょっと腑《ふ》に落ちない疑問が残った人がいるかもしれません。たしかに、試験にしても、校則にしても、生徒の世界にしても、先生との関係にしても、この本には、「だからこうすればいい」という「正解」が書いてあるわけではありません。ずばり、どうすればいいのか、そういう解答が示されているわけではないのです。

それでも、私は、今の学校を考える場合に、こういうまわり道が必要なのではないかと思っています。学校や教育については、いろいろな人が、いろいろな意見をもっています。とくに大人たちは、自分自身の学校時代の経験や新聞・雑誌・テレビなどの報道をもとに、「今の学校は、ここが問題だ」とか「教育というものは本来○○でなければならない」といった意見を主張しがちです。

こういう意見がまったく正しくない、というのではありません。私がいいたいのは、「学校とは本来こうあるべきだ」とか「本当の教育とは、こういうものだ」とかいう、人びとが教育について判断を下すときの考え方の中には、この本を通じて疑いの目を向けてきたような、「学校の常識」や「教育の常識」といったものが、根強くはびこっているのではないか、ということです。一見、だれもが賛成しそうな考え方でも、それでは具体的にどうしたらよい教育ができるのかとなると、意見が分かれてしまうことが少なくありません。しかも、ありきたりの教育の見方にとらわれて、学校や教育について、もっと自由でオープンな議論ができなくなっている場合もあるのです。

さらに、気がかりなのは、中学生自身が、学校を今ある姿で固定して考えてしまうことです。学校の主人公である生徒自身が、学校をどのように考えるのか。それによって、学校のあり方も変わっていく可能性があります。「学校なんてこんなものだ」と現状をそのまま鵜呑《うの》みにしていたら、その可能性もなくなってしまうでしょう。

中学生自身を含め、親や教師、それに地域の人や教育関係者の間で、できるだけオープンに学校について語り合うことができないだろうか。そのための材料を提供したいというのが、私がこの本を書いてきたねらいのひとつだったのです。

だからこそ、この本では、私の考える「答え」を書くよりも、学校についていろいろな角度から自由に考える糸口となる「疑問」をたくさんあげました。私なりのものの見方も示しましたが、それがたったひとつの正しい見方だといいたいわけではありません。むしろ、どうやって、問題をひねっていくかとか、どういう立場に立つと、これまでと違った新しい問題を発見できるのか、ということに力点をおいて、「疑問」を出し、それへのアプローチのしかたを提案してきたつもりです。

もっとも、読者の中には、私が、学校というものを疑ってばかりいて、読者も疑い深くなるだけではないか、という感想をもった人がいるかもしれません。でも、私のねらいは、学校というものを徹底して疑っていって、学校の権威を壊してしまおうということにあるわけではありません。まして、学校なんて大事ではないといいたいわけでもありません。疑って、現状を否定するのが目的ではないのです。むしろ、どうしたら学校についての新しい可能性や考え方を引きだせるのかを、いろいろな人たちが「常識」にとらわれることなく議論していくために、どうやって学校を見直していったらいいのかを私なりに示したつもりです。

ですから、この本の書き手としては、この本を読んでくれた中学生や親や先生たちが、いっしょに、この本で触れた学校についての疑問や問題について、さらに自分なりの考えを深めてくれたら、うれしいかぎりです。そういうことができれば、学校という、中学生を取り巻く身近な世界が、それ自体、中学生にとって、自分自身を理解したり、自分とまわりの人との関係を理解したり、制度や組織のはたらき、さらにはそれらを包み込んでいる大きな社会のしくみについて考えるための、最良の教材になるのではないでしょうか。

つぎに、この本の成り立ちについて、少し触れておきたいと思います。この本の文章は、一九九七年の九月から九八年の三月にかけて、『毎日中学生新聞』に連載した「学校って何だろう」をもとにしています。ただ、単行本として出版するにあたり、章の順番を変えたり、かなり大幅に文章を修正したりしました。ですから、連載を読んだ読者には、「どこかで読んだ話かな」と思えても、最初に読んだときの印象とは違うものになっているかもしれません。

この一一回にわたる『毎日中学生新聞』の連載は、当時の編集長横田一さんが私にいった一言がきっかけで始まったものです。その一言とは、「苅谷さん、あなたは自分のやっている学問を、中学生にわかるように書けますか」といったものでした。この発言は、私にとって、ショッキングでもあり、チャレンジングでもありました。

教育社会学という学問を研究している私にとって、中学生は、研究対象にはなっても、自分の研究を理解してくれる相手だとは考えてもみなかったからです。

でも、そういわれてみると、自分の研究が、中学生にとって、どういう意味をもつのか、自分なりに考えてみたくなりました。そんなことは考えずに、大人の専門家だけを相手に、研究を発表していくという考え方もあるのですが、それだけでは、自分のやっている研究が、教育の当事者にとってどういう意味をもつのか、わかりかねます。そんなことが全然わからなくたって、立派な研究をしていけばいいのかもしれません。でも、横田さんにいわれたときには、自分が研究してきたことがどれだけの広がりをもって意味をもつのか、そういう研究の価値について挑戦を受けたような気になったのです。

ところが、引き受けてみたものの、連載を始めてみると、いかにそれがむずかしいことかすぐにわかりました。と同時に、研究論文のなかでは、あたりまえのこととして前提にしていた知識を、それを知らない読者に伝えようとすることで、自分の研究の底の浅さや広がりの限界にもたびたび気づかされました。中学生にももっとわかりやすくピンとくる例がないものか、いろいろ考えてみても、それにふさわしい印象に残る具体的な例を探すことは簡単なことではありませんでした。今、これらの文章を書き直してみた後でも、それが十分にできたのかどうか。不十分なところもたくさん残っています。

それでも、この連載を本にしてより広く読んでもらいたいと思ったのは、中学生をめぐるいろいろな事件が続き、それについてさまざまな意見や見方が、新聞やテレビなどで報道されるのを見てのことです。事件をきっかけに、中学生についての社会の見方が変わろうとしているのではないかというのが、私の印象でした。でも、いくつかの事件だけをもとに、中学生や中学校のことを判断するのは、早計ではないのか、という感想も残りました。もう少しじっくり、中学生自身が、自分たちのまわりのことを考えることが大切なのではないか。それを手助けする大人たちとの議論も必要なのではないか、と思えたのです。それなら、これまで書いてきた連載をもとに、それを本にして、議論の材料を提供できないかというのが、この本を出版したいと思った最大の動機です。

最後になりますが、この本ができるまでにお世話になった方々に感謝の気持ちを伝えたいと思います。『毎日中学生新聞』の元編集長横田さんをはじめ、編集部の方々には連載を通じてお世話になりました。また、単行本にするうえで、講談社の細谷勉さんには、いろいろわがままを聞いていただきました。そして、またしても妻の夏子には、本書を読みやすくするうえで多くを負っています。おしゃべりを通じて中学生の世界についていろいろと教えてくれた習志野《ならしの》市の中学生、こうた君とひろまさ君にもお礼をいいたいと思います。

苅谷剛彦

一九九八年八月

文庫版あとがき

単行本のあとがきにも書きましたように、この本は、一九九七年九月から九八年三月まで、『毎日中学生新聞』に連載した文章をもとにしたものです。最初の原稿を書き始めたのが九七年夏でしたから、今から八年前です。たかだか八年間。それなのに、この間、日本の教育をめぐって、人びとが何を問題だと思うか、教育をどのように変えていったらよいと考えるか、そこには大きな変化が起きたように見えます。

単行本が出たのが九八年九月。「生きる力」の学習指導要領改訂が発表される直前でした。そして、その後、私自身も直接かかわることになりましたが、この指導要領をめぐって、いわゆる「学力低下論争」が起こりました。教える内容を削りすぎた指導要領では学力が低下するのではないかといった心配の声が広がり、「分数のできない大学生」の実態が紹介されたこともあり、マスコミもこの論争を大きく取り上げました。そういう声におされてか、文部科学省（文科省）も教育改革へのスタンスを微妙に変えるようになっていきました。

そして、二〇〇二年、この指導要領による教育改革がいよいよ本格的に始まる年になると、文科省は「ゆとり」という言葉を使うのをやめ、「確かな学力」をスローガンに掲げ始めました。「生きる力」も「基礎・基本」も両方大切だ、それらをともに伸ばしていくことが、そもそも今回の教育改革の目指す方向だった。それを言い表したのが「確かな学力」づくりだというのです。文科省は正式には認めませんでしたが、教育関係者の多くは、これを改革の方針転換だと受け取りました。「ゆとり」から「確かな学力」への変更です。

さらには、全国学力テストが実施され、それらの結果から、学力低下の兆しも見え始めました。国際比較調査からも、学力への不安が現実のものであったことを示す結果が紹介されました。こうした調査の結果や学習指導要領への批判を受けて、とうとう二〇〇五年になると、学習指導要領の見直しをしようということになりました。土曜日がすべて休日になり、授業時間が不足したので、夏休みを短くするところも出てきました。子どもたちの体験重視で始まった「総合的な学習の時間」も、とくに中学校の先生たちを中心に、「廃止したほうがよい」との声が強まってもいます。なくなることはなくても、授業時間数をもっと少なくしたり、やり方を変えたりということが今後決まっていくかもしれません。

もう一つ大きな流れがあります。教育のことは、おおかた文科省を中心に国が決めていた仕組みを改め、地方がそれぞれ決められるようにしようという「地方分権」の流れです。一学級あたりの子どもの数も、つい最近まで文科省が決めていました。どれだけの数の先生を雇うのかもです。今ではこうしたことを、もっと地方がそれぞれに決めてよいという仕組みに変わりました。教える内容を国が定めた学習指導要領についても、国の縛りをもっと緩くしようという議論が起きています。実際に学校を運営している市町村の教育委員会にもっと権限を与えようという動きです。教育にかかるお金をだれが払うのか、国か、地方か、それも県か市町村かをめぐっても、大きな動きが生まれそうです。さらには、もっと自由にして、だれでも学校をつくれるようにしよう、そしてその運営には税金を充《あ》ててもいいだろう、といった考えも登場しています。

すでにいくつかの地域では、公立の小中学校でも、どの学校に通うのかを子どもや親が自分で選べる。そういう仕組みも、都市部を中心に広がっています。こういった変化の数々は、最初に連載記事を書いていたときには、思いも寄らなかったものがほとんどです。

子どもたち、若者たちについての社会の見方も、大きく変わりました。最初にこの本を書いていた頃には、子どもの事件が起きると、受験でストレスを感じているせいだ、という見方がまだまだ支持されていました。そういう説明は、新聞や雑誌、テレビなどではすっかり影を潜めるようになりました。実際に、子どもの数の減少で、高校入試も大学入試も入りやすくなりました。大学にいたっては、入学定員まで満たない私立大学が私大全体の三分の一を占め、受験生がより好みしなければ、全員が入学できる時代が目前に迫っています。

受験の圧力が弱まっただけではありません。子どもたち、若者たちをめぐる問題の質もイメージも大きく変わっています。不登校や引きこもりなど、学校や社会との接触を避ける子どもや若者の問題は、あの頃よりもずっと深刻になっています。「ニート」と呼ばれ、学校にも行かず、働いてもいない若者たちが増え続けています。その中には、引きこもり傾向の若者が少なくないという報告もあります。引きこもりが原因ではなくても、つきたい仕事がなかなか見つからないために、アルバイトで暮らす若者も増えました。フリーターと呼ばれる若者たちです。しかも、二十代前半でフリーター生活が終わるわけではなく、高齢化も進んでいます。こういうニートやフリーターと呼ばれる若者たちの増加は、もちろん、不景気が続いたために企業が若者を雇わなくなったことの反映です。と同時に、若者たちにしても、自分らしい生き方探しをしなければ、という期待の強まりを受けて、生き方探しの迷路に迷い込んでいる。そういうケースも少なくありません。大人になることの難しさが、八年前に比べ、いっそう際立《きわだ》ってきたといってよいでしょう。

どんな家庭に生まれ育つかによって、将来の展望が違ってくる。それが、学校でのやる気の違いを生み出したり、「希望格差」を拡大している、ということもいわれるようになりました。「勝ち組」「負け組」という言葉が使われ、社会の「二極化」が進んでいるといわれます。これも八年前にはこれほど顕著でなかった傾向です。

こういう変化がわずか八年の間に起きた、ということは、こうして振り返ってみると驚きです。今の時点で、あの連載を書き始めていたとしたら、内容はずっと違ったものになったかもしれません。社会の厳しい現実や決して明るい見通しを持てない未来像を、もっと読者の中学生たちに伝えようとしたかもしれません。中学生向きの新聞を読みそうな中学生の多くは、きっと恵まれた家庭の子どもが多いだろうから、そのことにもっと自覚をもって、今、そして将来、何をすべきかを深く広く考えてもらうためのメッセージを強く込めたかもしれません。社会の変化をどう読み取っていくかについて、社会学者の立場からの解説を増やした可能性もあります。

ただ、学校という身近な問題を例に、自分の頭で考えようという姿勢自体は、変える必要がないと今でも思っています。学校の基本的な仕組みは、それほど大きく変わっていないからです。自分で考える力がつけば、その先に、この文庫版あとがきで書いたような新しい問題を、自分たちで考えていくこともできるはずです。疑問を感じたことをどうやってつなげていけばいいのか。どうすれば、常識的な見方をひっくり返すことができるのか。こういった考え方のコツを読み取ってもらうための内容は、古くなっていないと思うのです。

そういう力を持たなければ、つぎつぎと変わっていく現実の問題点を見極め、適切な判断を下していくことができなくなってしまうでしょう。変化のスピードアップに追いついていくためには、考える力が必要です。それも、自分ひとりで考えるだけではなく、自分たちで考えていく力です。

とくに、教育のように、将来にわたって大きな影響を及ぼすテーマであるにもかかわらず、感情的な反応や、一人一人の体験や印象だけでいろいろな意見が飛び交い、物事が決められていくことの多い領域では、自分たちで考える力はとても大切な力だと思います。それも、たんに自分たちのアイデアを出すというだけでなく、考え方や見方を支える「学問」をベースにすることで、思いつきではない議論ができるようになるでしょう。文庫版の副題に、「教育の社会学入門」とつけたのは、社会学という学問的な見方が、この本のベースになっているからです。この学問を使って、常識にとらわれない見方を読者に伝えられないか。考え方や見方のコツを少しでも伝えられたら、学問することの面白さを少しは感じてもらえるかもしれない。そんな期待を持って副題をつけました。そもそも連載を始めたときの理由が、中学生に自分のやっている教育社会学という学問をわかりやすく説明できるか、だったわけですから、そのことを今回ははっきり前面に出してみたのです。

最後に、文庫版の解説を書いていただいた小山内美江子《おさないみえこ》さんにお礼を申し上げます。「金八先生」の脚本家として知られる小山内さんですが、小山内さんは若者たちと、カンボジアで学校をつくるボランティア活動もなさっています。それについて書かれたご著書を読ませていただいたとき、胸に熱いものがこみ上げてきました。そのときの思いがあったものですから、お忙しいのを重々承知の上、お願いしてみたところ、快く引き受けていただきました。ただ、解説の中にある「テレビで見た人物」は私ではありません。そう思われてしまう印象を私の書くものがもっているのかもしれませんが。また、今回も編集を担当いただいた山野浩一さんとは四冊目の本になります。いつも心地よく仕事のできる関係をつくっていただいていることに感謝しています。

文庫版となることで、学校って何だろうという疑問からスタートして、学校や教育について、常識にとらわれない考え方をしてみよう、そう思ってくださる方々が少しでも増えることを願っています。

二〇〇五年十月

苅谷剛彦

解説

小山内美江子

本書の著者で、東京大学大学院教授の〝苅谷剛彦〟氏とは一度もお会いしたことがない。

だが、筑摩書房の担当の方から、本書の解説を依頼されて、私はなぜお引き受けしてしまったのだろうかと、送られて来たゲラを拝読し、大いにうろたえ、頭を抱えてしまった。

決して甘く考えた訳ではないが、解説とは私にはむずかしい分野だったということが、よくわかった。

生業であるテレビドラマで、中学生を主人公に二十五年にわたってかかわって来たので、小・中学校の先生方にはかなりの数の方々にお目にかかり、さまざまなお話をうかがえたから、ドラマとはつくり物とはいえ、出来る限り教育現場の再現をリアルにと心掛けては来た。

けれど、いわゆる教育学の学者なる人に取材をしていなかった。

いなかったが、ある雑誌でその学者なる人と対談をしたことがある。それも苅谷氏と同じ東京大学の教授であったが、話が全くといってよいほど嚙み合わなかった。

以来、ご著書は資料として拝読しても学者なる人には近付かない方がよいと勝手に決めて来たきらいが私にはある。

それともう一つ、学者なる人を敬遠してしまうに到るテレビ番組を見たことだ。

当時、論客として知られた少壮学者で苅谷教授というお名前には記憶があった。

少壮とは失礼なのだが、もう十年も昔のことだし、あるいは助教授であったかも知れない。

学生たちに絶大なる人気があって、その明晰なる分析は教育界にも大きな影響を及ぼしているようだった。

テレビ番組の対談相手は、これまたユニークな文部官僚氏だったので、私がそれまでお会いして来た小・中学校の教師とはどのように違った観点で教育現場を語られるのか、私は大いに興味を持ってこの番組を見た。

対談の展開は討論ともやや異なり、信奉者である多数の学生をひき連れた少壮学者は、文部官僚に対して、自論を展開しつつ、舌鋒も鋭く、糾弾に近い形で返答の間も与えぬ勢いで返答を迫っていた。

それが、いま流の言葉でイケメンであり、主張は冴え渡って自信満々の感じがある人物となると、凡人は何となく反感を持ってしまうもので、私もその一人であった。じつは、かつて私は、その相手の官僚に取材を試み、かなりの収穫があり好感を持っていたことも手伝って、オバサンの浅はかさ、苛めている側に一層の反感を持ってしまった次第である。

だが、果してその苛めッ子が苅谷教授ご本人であったかどうなのか、さだかではない。

にもかかわらず恐ろしいのは、一旦、記憶のひだに定着したものはなかなか修正できないことで、いまになるとあれは人違いであったような気がする。

などと言うと大変無責任ではあるが、どこかで苅谷剛彦という四文字はしっかりと私の右脳にインプットされてしまった。

いわゆる気になる存在というのだろうか。

だから、数年前、朝日新聞社の主催で〝教育を考える〟というシンポジウムのパネリストに同氏の名前を発見した私は、有楽町マリオンの朝日ホールへ足を運んだ。

視覚人間の言うことなのでお許し願いたいが、ナマの苅谷氏を観たのはこの時がはじめてで、ナマならではの迫力と、おっしゃられることにもさらに迫力があって、私などのドラマ用に取材したものとは異なり、〝日本の教育〟という大きな観点から、研究者としてなされるご発言には納得させられた。

あの時、教授はもっと語りたいと言われ、私もその続きをうかがいたいと思いつつ、多忙の中に時が過ぎて、その機会を得ることはできなかった。

ちょうどその頃のことだが、本年四月に九十八歳で亡くなられた国語教師の大村はま先生の存在を知ることになった。

さらに、苅谷夫人が大村先生の教え子でいらっしゃったことを知り、小・中学校教師であった大村先生に、大学教授が師事しているふうな様子がうかがえて、それがとても新鮮であり、かつ先達への充分な敬意が感じられて、その昔テレビ番組で受けた勝手な反感が、霧がはれるように薄れた。あれはやはり人違いであったのでは……、いや、はじめから当方の思い違いだったのならばと、思い切り首をすくめた。

それと前後して、私が書いた一冊のノンフィクションを、苅谷教授が有力新聞の書評欄で紹介してくださったことがある。それは、カンボジアにおける学校建設というボランティア仲間で、定年を機に私たちの活動に参加してくれた北海道の小椋英史元校長先生のことを書いた本だ。彼の早すぎた逝去をいたみ、教師としての現役時代の実践と、カンボジアでは大学生などの若者と共に、学校がないに等しかった国の子どもたちのために流した輝くような汗とそして笑顔とを、記録としてもとどめたくてまとめた本だった。

その書評は、これまでに接した教授のどの文章よりも、私には肉声で語られた温みを感じ、過分なご批評であって、思いがけなかっただけに、どれほど嬉しかったことか。小椋先生の生と死を教育者として的確に捉えていただいていた。ありがたかった。

ということで、前置きが延々と長くなったが、ありていに言えば、今度の解説をお引き受けしたのは、あの時の思いのお返しという、大変に世俗的な動機だったのだ。だからこそ大反省に頭を抱えてしまったのだが、『学校って何だろう』はしっかりと拝読した。

読みながら付箋をつけるなど、久々のことだった。

真剣に読み返した章もある。殊に、本書の冒頭にある一節がとても重要なものに思えるのだ。

正解は、「自分の頭で考えてこそ、自分なりの答えにたどり着ける」。

それがこの本の出発点であり、正解探しのかわりに「一緒に考えてみよう」と読者の中学生に手をさしのべて提言し、「あなたならどう考えますか」と問いかけられている。だから私はその問いに素直に、中学生の親、または教師になった心構えで拝読した。

○○万部売れたという、いま大流行のハウツーものと比べるまでもなく、個々の問題にすぐに役立つ本ではない、と思う。

考えながら読み、読みながら考える本というべきであろう。

何でも手軽で安直なものが歓迎される現代では、〝考える本〟というウリでは敬遠されそうな不安がなきにしもあらずと思いつつ。

そういう時代だからこそ〝スローフード〟という考え方も大いに認知・定着されたのだから、私は勝手に〝教育というものを考えるスローフードの教育書〟と命名し、周辺の教師や教師志望の学生たちに本書を紹介している。

一気に読破する本だとは思わない。一章一章、スローフードよろしく、本書が論じている学問というものをよく噛んで読み進めると、やはり教育学の学者で研究者の第一線を行く著者が書き表わしたものだと分かってくる。

もともと「毎日中学生新聞」に連載したものに加筆されたとあるが、中学生にとって、新聞に掲載された一回分ずつが、読み進んで行くのにちょうどよい分量だったのではないかと思う。

とかく長いもの、むずかしそうなものは敬遠する中学生の読書傾向に対して、老婆心ながら、本書はスローフードで、かつ教師や親も一緒に読まれることをすすめる。

ドラマ執筆のため、硬軟のかなりの教育関係の本を参考資料として購入し、懸命に読んだものだが、同じ教育問題でも、著者の光の当て方によって気付いたものを、思わず見直し、とても新鮮であった。

例えば、約四〇〇万人もの日本の中学生が毎日、同じように勉強するということは「学校」という仕組みなしでは実現不可能なほど〝すごい〟ことだと教えられる。

つまり、当たり前だと思ってきたさまざまな顔の、一つ一つの特徴と役割を明らかにして、〝学校〟というものをはっきりと認識させてくれるのだ。

〝学校〟には、好き嫌いにかかわらず試験・校則などが存在し、その意味を明らかにしながら、それを個人としてどう受けとめるかは個人としてその答えを考えなさい、とここでも手とり足とりのハウツーものとは一線を画し、考えることを促している。

教科書についても同じく説明しながら、使い方、使われ方に触れると、各個人の受けとり方に違いが出てくることが予想される。

現在、「学力の低下」が日本沈没だとばかりに、一部の大人にとって大問題となり、また一部の大人は、「試験の翌日には忘れてしまう試験用の丸暗記の得点が学力か！」と、学力、学力と叫ぶ風潮に対して異を唱えている。

私などは後者に近い考えの持ち主だが、苅谷氏は、学力問題に触れながら、ここでもどちら派なのか、旗幟《きし》を鮮明にはしていない。

だが、教師が自分で教材をつくって、自分で教える内容をきめるというやり方を紹介し、「水」をその課題にしているのが、大変興味をそそられた。

「水」を学ぶには、国語、数学、理科や社会、英語、さらに美術、音楽など多岐にわたる教科の領域にまたがって勉強することが出来るだろうと記している。

これこそ教科横断といって、重層的に知識を得られるというすばらしい方法なのだが、一人の教師で教えきることはできない。だから、それぞれ専門の教科を指導担当する同僚教師が協力し合えば、立体的で画期的な授業が実施されるだろう。

これは二〇〇二年の教育改革の目玉で、文科省によって推奨された〝総合的学習〟なのである。私はその実際の現場をすでに十年前に取材し、感動と共に見せてもらっていた。

生徒が少しでも興味を持ち、学ぶことが面白いと思えるように工夫した教師たちの実践であって、その授業中、生徒たちから洩れた驚きの声や笑い声が、今でも耳に残っている。生徒たちは楽しかったのだ。

ところが二〇〇二年の改革がスタートする前から、なぜか、〝総合的学習〟は学力低下の元凶だという声が高まって、実績が正式に評価される前に、文科省は見直しを口にしはじめた。

その筋のアンケートは、小学校教師の賛成者に対し、中学教師の反対の声が圧倒的に多かった。

教科横断となると、専門外のものを教えるには専門の教師との交渉もあるし、構成や準備に費やされる時間を考えれば、中学教師にとって、そのわずらわしさは充分に理解できる。

けれど、面倒だから、時間がかかるからという理由で、総合的学習が廃止にまで行かずとも、細っていくこととなったら、手さぐりで懸命に授業を組み立てていた十年前のあの教師の熱意は、どのように評価されるのだろうか。

その教師の工夫と熱意で好奇心をかきたてられ、勉強が面白くなった生徒たちの向学心にどのような蓋をするつもりなのだろうか。

子どもはテストされ、「試したけれど間違っていました」では「私の基礎学力はどうなるの?」と思うだろうと苅谷氏も言っている。

私は苅谷氏の総合的学習に対するお考えを本書の中に見出そうとしていた。

大村はま先生は、一人一人の生徒に合わせて、自ら作成した教材や資料を準備し、それをもとに話し合いをしつつ、学力を向上させている。

それは教科書に頼らない教育方法だと異端視される所もあったが、これこそ〝総合的学習〟であり、生徒に生きる力を喚起させることで、学力もまた確実に伸びるという事実が実証されていたのだ。先達の実践は充分に検討の上、尊重されなければならないだろう。

「学校って何だろう」そして「教科書って何だろう」と苅谷氏は中学生たちに問いかけている。

答えは、文科省の検定は受けていないが、人が今日も生きているということのすぐそばに、人を導く教科書は無限に存在しているというように読みとれる。

このほど「文字・活字文化振興法」なるものが成立した。世界の水準と比べて、日本の子どもたちの学力が低下したとされる原因として、「読解力」が劣るとされ、学力とは読み書きの得点だけではなく、表現する能力が必要だと慌てて憂いたり、叫ぶ人たちがいる。

それは全くその通りであるが、

「そんなに本ばかり読んでいたら、お勉強がおくれるでしょッ」

という保護者の声も聞えてくるような気がする。

では、「お勉強とは何か？」を本当に知るためにも、本書こそスローフードでよく噛み、考えながら読むべきだ、と思いつつ、ゆっくりと、立ち止まりながら時間をかけて咀嚼していると、「お勉強がおくれる！」とヒステリックな声がかかる対象のような気がして、心配になったりする。

だから、この数年で各小・中・高校で自主的に実施された「朝の十分間読書」の実施校が飛躍的に数をのばしていることは心強い。それは教科書とはちがうものだからであり、人生の教科書として、本物の教科書と必ず複合するものだと教えられた。

いま、再び校内暴力が生れつつあるというニュースに接しつつ、しかも、それが小学生に顕著であり、キレる子どもの暴力にどう対処するかと論じられているが、本書を拝読しながら、真に考える力を身につけさせることの重要さを痛感した。

詰め込みによる余裕のなさが、学力という物差しで子どもを追い詰めているのではないか。

だからこそ、苅谷氏は〝まわり道〟も大切だと言われている。学校って何だろう？と考える時間のまわり道を子どもも大人も〝まわり道〟して、キレる前に充分に話し合いのできる子を育てて行くことが、オーバーではなく人類の将来を少しでも明るい方向に持って行くのだと思う。

ところで、この解説を読み直して来て、その昔、テレビで見た先鋭的な東京大学教授は、やはりどうも人違いであったという気になって来た。ご心配かけて申し訳ありませんでした。

人は迷い、間違えながら年齢と考えを重ねて行くもので、やはりスローフードがのぞましく、ゆっくりと咀嚼していたら、あれほど長いこと間違った思いちがいに捉われずに済んだものを——と思いつつ、ホッと安堵して、解説という私には重い荷物を、いま降ろします。

本書は一九九八年九月、講談社より刊行された『学校って何だろう』を一部修正し、副題を付けたものである。

新版 思考の整理学　外山滋比古
「東大・京大で1番読まれた本」で知られる〈知のバイブル〉の増補改訂版。2009年の東京大学での講義を新収録し読みやすい活字になりました。

質問力　齋藤孝
コミュニケーション上達の秘訣は質問力にあり！これさえ磨けば、初対面の人からも深い話が引き出せる。話題の本の、待望の文庫化。（斎藤兆史）

整体入門　野口晴哉
日本の東洋医学を代表する著者による初心者向け野口整体のポイント。体の偏りを正す基本の「活元運動」から目的別の運動まで。（伊藤桂一）

命売ります　三島由紀夫
自殺に失敗し、「命売ります。お好きな目的にお使い下さい」という突飛な広告を出した男のもとに、現われたのは？（種村季弘）

こちらあみ子　今村夏子
あみ子の純粋な行動が周囲の人々を否応なく変えていく。第26回太宰治賞、第24回三島由紀夫賞受賞作。書き下ろし「チズさん」収録。（町田康／穂村弘）

ベルリンは晴れているか　深緑野分
終戦直後のベルリンで恩人の不審死を知ったアウグステは彼の甥に訃報を届けに陽気な泥棒と旅立つ。歴史ミステリの傑作が遂に文庫化！（酒寄進一）

向田邦子ベスト・エッセイ　向田邦子　向田和子編
いまも人々に読み継がれている向田邦子。その随筆の中から、家族、食、生き物、こだわりの品、旅、仕事、私……、といったテーマで選ぶ。（角田光代）

倚りかからず　茨木のり子
もはや／いかなる権威にも倚りかかりたくはない……話題の単行本に3篇の詩を加え、高瀬省三氏の絵を添えて贈る決定版詩集。（山根基世）

るきさん　高野文子
のんびりしていてマイペース、だけどどっかヘンテコな、るきさんの日常生活って？　独特な色使いが光るオールカラー。ポケットに一冊どうぞ。

劇画 ヒットラー　水木しげる
ドイツ民衆を熱狂させた独裁者アドルフ・ヒットラーとはどんな人間だったのか。ヒットラー誕生からその死まで、骨太な筆致で描く伝記漫画。

ねにもつタイプ　岸本佐知子
何となく気になることにこだわる、ねにもつ。思索、奇想、妄想はばたく脳内ワールドをリズミカルな名短文でつづる。第23回講談社エッセイ賞受賞。

TOKYO STYLE　都築響一
小さい部屋が、わが宇宙。ごちゃごちゃと、しかし快適に暮らす、僕らの本当のトウキョウ・スタイルはこんなものだ！　話題の写真集文庫化！

自分の仕事をつくる　西村佳哲
仕事をすることは会社に勤めること、ではない。仕事を「自分の仕事」にできた人たちに学ぶ、働き方のデザインの仕方とは。（稲本喜則）

世界がわかる宗教社会学入門　橋爪大三郎
宗教なんてうさんくさい!?　でも宗教は文化や価値観の骨格であり、それゆえ紛争のタネにもなる。世界宗教のエッセンスがわかる充実の入門書。

ハーメルンの笛吹き男　阿部謹也
「笛吹き男」伝説の裏に隠された謎はなにか？　十三世紀ヨーロッパの小さな村で起きた事件を手がかりに中世における「差別」を解明。（石牟礼道子）

増補　日本語が亡びるとき　水村美苗
明治以来豊かな近代文学を生み出してきた日本語が、いま、大きな岐路に立っている。我々にとって言語とは何なのか。第8回小林秀雄賞受賞作に大幅増補。

子は親を救うために「心の病」になる　高橋和巳
子は親が好きだからこそ「心の病」になり、親を救おうとしている。精神科医である著者が説く、親子という「生きづらさ」の原点とその解決法。

クマにあったらどうするか　姉崎等　片山龍峯
「クマは師匠」と語り遺した狩人が、アイヌ民族の知恵と自身の経験から導き出した超実践クマ対処法。クマと人間の共存する形が見えてくる。（遠藤ケイ）

脳はなぜ「心」を作ったのか　前野隆司
「意識」とは何か。どこまでが「私」なのか。死んだら「心」はどうなるのか。――「意識」と「心」の謎に挑んだ話題の本の文庫化。（夢枕獏）

しかもフタが無い　ヨシタケシンスケ
「絵本の種」となるアイデアスケッチがそのまま本に。くすっと笑えて、なぜかほっとするイラスト集です。ヨシタケさんの「頭の中」に読者をご招待！

品切れの際はご容赦ください

ふしぎな社会　橋爪大三郎

第一人者が納得した言葉だけを集めて磨きあげた社会学の手引き書。人間の真実をぐいぐい開き、若い読者に贈る小さな（しかし最高の）入門書です。

承認をめぐる病　斎藤環

人に認められたい気持ちに過度にこだわると、さまざまな病理が露呈する。現代のカルチャーや事件から精神科医が「承認依存」を分析する。（土井隆義）

キャラクター精神分析　斎藤環

ゆるキャラ、初音ミク、いじられキャラetc.。現代日本に氾濫する数々のキャラたち。その諸相を横断し、究極の定義を与えた画期的論考。（岡崎乾二郎）

サヨナラ、学校化社会　上野千鶴子

東大に来て驚いた。現在を未来のための手段とし、偏差値一本で評価を求める若者。ここからどう脱却する？　丁々発止の議論満載。（北田暁大）

ひとはなぜ服を着るのか　鷲田清一

ファッションやモードを素材として、アイデンティティや自分らしさの問題を現象学的視線で分析する。「鷲田ファッション学」のスタンダード・テキスト。

学校って何だろう　苅谷剛彦

「なぜ勉強しなければいけないの？」「校則って必要なの？」等、これまでの常識を問いなおし、学ぶ意味を再び摑むための基本図書。（小山内美江子）

14歳からの社会学　宮台真司

「社会を分析する専門家」である著者が、社会の「本当のこと」を伝え、いかに生きるべきか、に正面から答えた。重松清、大道珠貴との対談を新たに付す。

終わりなき日常を生きろ　宮台真司

「終わらない日常」と「さまよえる良心」――オウム事件直後出版の本書は、著者のその後の発言の根幹である。書き下ろしの長いあとがきを付す。

人生の教科書［よのなかのルール］　藤原和博　宮台真司

〝バカを伝染（うつ）さない〟ための「成熟社会へのパスポート」です。大人と子ども、お金と仕事、男と女と自殺のルールを考える。（重松清）

逃走論　浅田彰

パラノ人間からスキゾ人間へ、住む文明から逃げる文明への大転換の中で、軽やかに〈知〉と戯れるためのマニュアル。

アーキテクチャの生態系　濱野智史
2ちゃんねる、ニコニコ動画、初音ミク……。日本独自の進化を遂げたウェブ環境を見渡す、新世代の社会分析。待望の文庫化。（佐々木俊尚）

「居場所」のない男、「時間」がない女　水無田気流
「世界一孤独」な男たちと「時限ばかり」の女たち。全員が幸せになる策はあるか――？　社会を分断する溝に、気鋭の社会学者が向き合う。（内田良）

他人《ひと》のセックスを見ながら考えた　田房永子
人気の漫画家が、かつてエロ本ライターとして取材した風俗やAVから、テレビやアイドルに至るまで、男女の欲望と快楽を考える。（樋口毅宏）

ファッションフード、あります。　畑中三応子
ティラミス、もつ鍋、B級グルメ……激しくはやりすたりを繰り返す食べ物から日本社会の一断面を切り取った痛快な文化史。年表付。（平松洋子）

9条どうでしょう　内田樹／小田嶋隆／平川克美／町山智浩
「改憲論議」の閉塞状態を打ち破るには、「虎の尾を踏むのを恐れない」言葉の力が必要である。四人の書き手によるユニークな洞察が満載の憲法論！

反社会学講座　パオロ・マッツァリーノ
恣意的なデータを使用し、権威的な発想で人に説教する困った学問「社会学」の暴走をエンターテイメントな議論で撃つ！　真の啓蒙は笑いから。

日本の気配　増補版　武田砂鉄
「個人が物申せば社会の輪郭はボヤけない」。最新の出来事にも、解決されていない事件にも粘り強く憤る。その後の展開を大幅に増補。（中島京子）

狂い咲け、フリーダム　栗原康編
国に縛られない自由を求めて気鋭の研究者が編む。大杉栄、伊藤野枝、中浜哲、朴烈、金子文子、平岡正明、田中美津ほか。帯文＝ブレイディみかこ

花の命はノー・フューチャー　ブレイディみかこ
移民、パンク、LGBT、貧困層。地べたから見た英国社会をスカッとした笑いとともに描く。200頁分の大幅増補！　推薦文＝佐藤亜紀（栗原康）

ジンセイハ、オンガクデアル　ブレイディみかこ
貧困、差別。社会の歪みの中の「底辺託児所」シリーズ誕生。著者自身が読み返す度に初心にかえるという珠玉のエッセイを収録。

解剖学教室へようこそ　養老孟司
解剖すると何が「わかる」のか。動かぬ肉体という具体から、どこまで思考が拡がるのか。養老ヒト学の原点を示す記念碑的一冊。（南直哉）

考えるヒト　養老孟司
意識の本質とは何か。私たちはそれを知ることができるのか。脳と心の関係を探り、無意識に目を向ける。自分の頭で考えるための入門書。（玄侑宗久）

錯覚する脳　前野隆司
「意識のクオリア」も五感も、すべては脳が作り上げた錯覚だった！　ロボット工学者が科学的に明らかにする衝撃の結論を信じられますか。（武藤浩史）

理不尽な進化　増補新版　吉川浩満
進化論の面白さはどこにあるのか？　科学者の論争を整理し、俗説を覆し、進化論の核心をしめす。アートとサイエンスを鮮やかに結ぶ現代の名著。（養老孟司）

身近な雑草の愉快な生きかた　稲垣栄洋　三上修・画
名もなき草たちの暮らしぶりと生き残り戦術を愛情とユーモアに満ちた視線で観察、紹介した植物エッセイ。繊細なイラストも魅力。（宮田珠己）

身近な野菜のなるほど観察録　稲垣栄洋　三上修・画
『身近な雑草の愉快な生きかた』の姉妹編。なじみの多い野菜たちの個性あふれる思いがけない生命の物語を、美しいペン画イラストとともに。（小池昌代）

身近な虫たちの華麗な生きかた　稲垣栄洋　小堀文彦・画
地べたを這いながらも、いつか華麗に変身することを夢見てしたたかに生きる身近な虫たちを紹介する。精緻で美しいイラスト多数。（小池昌代）

したたかな植物たち　春夏篇　多田多恵子
スミレ、ネジバナ、タンポポ。道端に咲く小さな植物は、動けないからこそ、したたかに生きている！身近な植物たちのあっと驚く私生活を紹介します。

したたかな植物たち　秋冬篇　多田多恵子
ヤドリギ、ガジュマル、フクジュソウ。美しくも奇妙な生態にはすべて理由があります。人知れず花を咲かせ、種子を増やし続ける植物の秘密に迫る。

野に咲く花の生態図鑑【春夏篇】　多田多恵子
野に生きる植物たちの美しさとしたたかさに満ちた生存戦略の数々。植物への愛をこめて綴られる珠玉のネイチャー・エッセイ。カラー写真満載。

野に咲く花の生態図鑑【秋冬篇】　多田多恵子

寒さが強まる過酷な季節にあえて花を咲かせ実をつける理由とは？　人気の植物学者が、秋から早春にかけて野山を彩る植物の、知略に満ちた生態を紹介。

花と昆虫、不思議なだましあい発見記　田中肇　正者章子

ご存じですか？　道端の花々と昆虫のあいだで、驚くべきかけひきが行なわれていることを。花と昆虫のだましあいをイラストとともにやさしく解説。

増補　へんな毒　すごい毒　田中真知

フグ、キノコ、火山ガス、細菌、麻薬……自然界にあふれる毒の世界。その作用の仕組みから解毒法、さらには毒にまつわる事件なども交えて案内する。

熊を殺すと雨が降る　遠藤ケイ

山で生きるには、自然についての知識を磨き、己れの技量を謙虚に見極めねばならない。山村に暮らす人びとの生業、猟法、川漁を克明に描く。

私の脳で起こったこと　樋口直美

「レビー小体型認知症」本人による、世界初となる自己観察と思索の記録。認知症とは、人間とは、生きるとは何かを考えさせる。（伊藤亜紗）

ゴリラに学ぶ男らしさ　山極寿一

自尊心をもてあまし、孤立する男たち。その葛藤は何に由来するのか？　身体や心に刻印されたオスの進化的な特性を明らかにし、男の懊悩を解き明かす。

ニセ科学を10倍楽しむ本　山本弘

「血液型性格診断」「ゲーム脳」など世間に広がるニセ科学。人気SF作家が会話形式でわかりやすく教える、だまされないための科学リテラシー入門。

増補　サバイバル！　服部文祥

岩魚を釣り、焚き火で調理し、月の下で眠る――。異能の登山家は極限の状況で何を考えるのか？　生きることを命がけで問う山岳ノンフィクション。

いのちと放射能　柳澤桂子

放射性物質による汚染の怖さ。癌や突然変異が引き起こされる仕組みをわかりやすく解説し、命を受け継ぐ私たちの自覚を問う。（永田文夫）

イワナの夏　湯川豊

釣りは楽しく哀しく、こっけいで厳粛だ。日本の川で、また、アメリカで、出会うのは魚ばかりではない、自然との素敵な交遊記。（川本三郎）

ちくま文庫

学校《がっこう》って何《なん》だろう
——教育《きょういく》の社会学入門《しゃかいがくにゅうもん》

二〇〇五年十二月十日　第一刷発行
二〇二五年　四　月十五日　第二十六刷発行

著　者　苅谷剛彦（かりや・たけひこ）
発行者　増田健史
発行所　株式会社　筑摩書房
東京都台東区蔵前二―五―三　〒一一一―八七五五
電話番号　〇三―五六八七―二六〇一（代表）
装幀者　安野光雅
印刷所　中央精版印刷株式会社
製本所　中央精版印刷株式会社

ISBN978-4-480-42157-9　C0137